MADAME ET LE MANAGEMENT

*Née à Paris en 1930, diplômée de l'Institut d'Etudes politiques (1951),
Christiane Collange — femme de Jean Ferniot et sœur de Jean-Jacques
Servan-Schreiber — commence au journal* Les Echos *une carrière
qu'elle poursuit à* L'Express *(1953-1968) où elle dirige la rubrique*
Madame Express, *puis devient rédacteur en chef de toutes les sections
non politiques lors de la transformation de l'hebdomadaire en « news
magazine ».*
*Christiane Collange est ensuite chargée par le groupe F.E.P. (France
Editions et Publications) d'étudier la création de nouveaux magazines, puis dirige la revue* Le Jardin des modes *(1969-1970). Elle est
actuellement responsable d'une chronique quotidienne à* Europe I.
Son premier livre, Madame et le Management, *a remporté un vif succès
dès sa parution en 1969 aussi bien en France qu'à l'étranger.*

A quoi tient la réussite américaine qui fait tant rêver les industriels
d'Europe ? Au *management*, ce maître mot du siècle qui est syno-
nyme de « méthode de gestion moderne et de direction » et que
l'on pourrait traduire aussi par « art de s'organiser ». Pour quel
résultat ? Améliorer le rendement et gagner du temps (donc de
l'argent, suivant le dicton).
Parce qu'elle est une « femme qui travaille », Christiane Collange
s'est familiarisée avec ces méthodes et les a instinctivement adoptées
non seulement « au bureau » mais aussi « à la maison » où elles
donnent d'excellents résultats. Pourquoi, en effet, « la maison »
resterait-elle à l'écart du courant de modernisme qui métamorphose
notre monde ? Pourquoi ne pas appliquer au domaine privé des
recettes qui assurent la prospérité au domaine de l'industrie ?
Rien de plus facile que d'adapter les règles d'or du *management* à
« l'entreprise foyer ». Le dragon multiforme et dévorant des tâches
ménagères recule — et parfois même succombe — devant les armes
réflexion, information, décision, exécution.
C'est ce que démontre Christiane Collange avec brio dans ce livre
qu'il faut avoir lu parce qu'il est sérieux, pratique... et débordant
d'humour.

CHRISTIANE COLLANGE

Madame
et le management

PRÉFACE DE FRANÇOISE GIROUD

POSTFACE DE JEAN FERNIOT

TCHOU

PRÉFACE

Il y a de bons pianistes, de bons skieurs, de bons comédiens, qui exercent honnêtement leur talent après avoir beaucoup étudié, et auxquels il manque toujours quelque chose cependant, pour se classer parmi les meilleurs.

Ce quelque chose, c'est le don, celui que les fées déposent dans le berceau des champions.

Christiane Collange est née avec le don de l'organisation. Son bureau en apporte la preuve : il y règne, en apparence, un désordre grandiose, dans lequel toute personne mal informée croirait égarés à jamais la note urgente, le dossier confidentiel, l'adresse indispensable.

En quinze années de travail commun je n'ai jamais vu qu'un tel accident la surprenne. C'est que, chez elle, l'organisation est une création permanente. On reconnaît à ce trait les artistes : ils ne reproduisent pas une leçon reçue ; à chaque instant, ils inventent.

Christiane Collange invente, jour après jour,

son organisation personnelle en réponse au problème du moment. De sorte que tous plans bouleversés — par l'actualité dans son métier de journaliste, par une rougeole ou une jambe cassée dans son métier de mère de famille, par un rendez-vous annulé dans une journée bien calculée — elle recrée aussitôt les conditions qui simplifieront sa tâche.

Grâce à quoi elle mène de front, depuis plusieurs années, l'éducation de quatre garçons turbulents, une carrière où ses responsabilités n'ont cessé de croître, une maison dont le seigneur tient table ouverte et ne s'offensera pas d'apprendre qu'il appartient à la race des pachas. A quoi elle ajoute, au gré des circonstances, quelques menues activités secondaires : la construction d'une maison de campagne, la conception d'un nouveau magazine, la rédaction d'un livre, un déménagement par-ci, un emménagement par-là.

Dans le principe, ce n'est pas difficile. C'est impossible.

Dans la pratique, c'est un fait qu'elle y parvient.

Longtemps, j'ai pensé qu'il serait dangereux de lui demander : « Comment faites-vous ? »

à cause de l'histoire du crapaud et du mille-pattes. Un crapaud voulait croquer un mille-pattes. Chaque fois qu'il s'y essayait, le mille-pattes filait ventre à terre et lui échappait. Un jour, le crapaud cria : « Je voudrais seulement vous poser une question : quand vous vous mettez à courir, quelle est la patte que vous avancez la première ? » Le mille-pattes se mit à réfléchir. Et se fit croquer par le crapaud.

Si, incitant Christiane à trop s'interroger, elle allait perdre le don ? Mais tant d'autres lui ont demandé : « Comment faites-vous ? » qu'elle a fini par y répondre, en écrivant ce traité d'organisation. Le plus précieux qu'une femme puisse consulter et conserver dans sa bibliothèque. Le seul, en vérité, car il est unique en son genre.

L'expérience des magazines féminins enseigne que, tel Machiavel, les donneuses de conseil sont, en règle générale, aussi brillantes théoriciennes que piètres praticiennes. Elles savent tout sur la façon de garder un mari, sauf le leur, sur la composition d'une garde-robe idéale, sauf celle qui leur conviendrait, sur l'art de garder un teint de jeune fille. Mais sans doute l'enseignent-elles trop tard pour *avoir elles-mêmes bénéficié de leur science.*

Chez l'auteur de Madame et le Management, *la pratique a largement précédé l'élaboration de la théorie, qu'au demeurant elle restitue modestement à ses inventeurs : ceux qui ont étudié et mis au point la technique du management à l'usage des hommes, c'est-à-dire les méthodes modernes d'organisation et de gestion en vue d'une productivité accrue.*

Mais les idées ne lui faisant jamais défaut, elle a eu celle, ingénieuse, de montrer comment on peut transposer ces méthodes pour les appliquer à l'entreprise féminine.

Aussi ne s'agit-il nullement d'une énumération de recettes, telles que les mères les transmettent à leurs filles de génération en génération avec quelques pièces d'argenterie, mais d'une approche radicalement nouvelle des problèmes matériels qui se posent, dans le quotidien de la vie, aux « managers » d'un foyer.

En tous domaines, on sait que, pour résoudre au mieux un problème, il faut d'abord le bien poser. Le propre du management est de fournir non pas des solutions toutes faites qui, comme les robes ainsi nommées, ne vont jamais parfaitement à personne, mais d'enseigner

*à chacun la méthode convenable pour trouver
les meilleures solutions aux situations qu'il lui
faut affronter.*

*Comme tous les traités de management in-
dustriel, dont Christiane Collange a une connaissance que beaucoup d'hommes pourraient
lui envier, celui-ci agira sur ses lecteurs et ses
lectrices à la façon d'un révélateur. « Quoi, se
dira-t-on, c'est cela le management ? Mais c'est
très facile ! »*

*C'est très facile, en effet. Encore faut-il y
penser.*

*Sans doute y a-t-il, parmi les femmes comme
parmi les chefs d'entreprise, d'heureuses personnes qui font du management comme
M. Jourdain faisait de la prose, sans le savoir.*

*Celles-là découvriront peut-être, en lisant
Madame et le Management, que l'on peut
mêler à cette prose, comme Christiane Collange, la salutaire poésie de l'humour.*

FRANÇOISE GIROUD.

CHAPITRE PREMIER

INTRODUCTION

LE ministre avait depuis peu perdu son portefeuille. Mais il n'en avait pas pour autant perdu
l'appétit. Je me trouvais à ses côtés dans un
dîner. Il attaqua simultanément le hors-d'œuvre et la conversation. J'attendais le sempiter-
nel : « Quel âge ont donc vos enfants, chère
madame ? », et son corollaire : « Comment ?
Mais on ne croirait jamais que vous avez de
si grands fils », sans oublier l'additif récent :
« Comment cela se passe-t-il dans leurs lycées
depuis la réforme d'Edgar (Faure) ? » Eh bien,
non. L'ancien ministre avait des soucis et se
lança aussitôt dans la confidence. « Chère madame, ma vie est un enfer. Depuis que j'ai
quitté le ministère, je suis devenu un homme
au foyer inorganisé, désorienté, perdu. » Je
compatissais ; délaissant les délices de sole, le
ministre poursuivit : « Depuis dix ans, couvé
par un escadron de secrétaires-cerbères, j'avais
oublié jusqu'au prix d'un timbre ou celui d'un

paquet de cigarettes. Ma femme et moi tentons de surmonter ce bouleversement total de nos habitudes. Difficile. Très difficile. Un exemple ? Je reçois désormais toutes mes communications téléphoniques à la maison. Apparemment, je règne chez moi sur un peuple d'analphabètes. Mes enfants, ma soubrette semblent tout à fait incapables d'inscrire correctement un message... »

Le ministre était intarissable. Il enchaînait : « J'ai téléphoné plusieurs fois à votre mari ces derniers temps. Je me suis rendu compte qu'il me rappelait toujours à l'heure dite, au numéro indiqué. Livrez-moi son secret, le vôtre. Vous me rendriez un vrai service. »

J'étais surprise. Vaguement touchée. D'habitude, les hommes, contrairement aux femmes, ne profitent pas des dîners mondains pour avouer leurs carences domestiques. Je rassurai donc le ministre de mon mieux et lui exposai en détail, tandis que les pintades faisaient la ronde autour de la table, mes conceptions pratiques sur l'utilisation du téléphone. « D'abord, il y a un bloc en permanence à côté de chaque appareil... » Un soupir mi-admiratif mi-résigné m'apprit que cette mesure de simple bon sens

n'était pas toujours appliquée chez mon inter-
locuteur. « Ensuite, poursuivis-je, j'adapte à
mon standard familial une méthode qui a fait
ses preuves aux Etats-Unis. Là-bas, toutes les
secrétaires demandent à tous leurs correspon-
dants d'épeler leur nom. Même lorsqu'elles
sont persuadées que leur « boss » connaît par
cœur le patronyme et l'indicatif de la personne
en ligne, ces demoiselles, d'une voix aussi fraîche que ferme, redemandent implacablement :
« A quel numéro pourra-t-il vous joindre ? »
Ces grandes prêtresses de la précision se mo-
quent de paraître ridicules, indiscrètes ou las-
santes. Elles obéissent au système. Le système
est bon. Elles lui font confiance. Elles ne mettent pas leur amour-propre à sembler au courant de tout. Leur devise est simple, primaire
peut-être, efficace sûrement : « Le patron ne
« doit, en aucun cas, manquer un coup de fil
« important. » J'ai instauré ce système à la
maison. Même les enfants savent désormais
rédiger correctement une fiche et la laisser
bien en évidence sur le bureau de mon mari. »

« Tout simplement génial ! s'exclama le ministre ; c'est ainsi que cela se passait au ministère, bien entendu, mais je n'aurais jamais

imaginé que l'on puisse procéder ainsi à la maison. »

Le grand mot était lâché : « A la maison » ; cet îlot isolé, différent, comme retranché de l'évolution générale du monde moderne. « A la maison », les conditions de vie sont dictées par des lois anarchiques et séculaires ; l'univers professionnel est une autre planète. « A la maison » les horaires sont élastiques ; on ne prévient pas si l'on rentre dîner à neuf heures du soir alors qu'on fait téléphoner si le moindre embouteillage risque de provoquer un retard de dix minutes à un déjeuner d'affaires. « A la maison », on considère les bienfaits de l'efficacité comme une tare.

Je suis une femme qui travaille. Et ce fossé m'a toujours paru totalement archaïque. Pour définir ce fossé, les Américains utilisent le mot très à la mode de *gap*. On pourrait donc parler du *gap* de la vie privée comme on cite le *gap* technologique ou le *gap* des générations pour déplorer le conflit entre les jeunes et leurs parents. Non, je ne crois pas au *gap*.

Quand on passe la moitié de son existence au bureau et l'autre à la tête d'une famille nombreuse, on adapte fatalement à sa vie personnelle la plupart des trucs qui facilitent la réussite professionnelle.

Je n'avais jamais établi de rapport entre mon organisation personnelle et l'organisation industrielle. Mais je travaillais dans une entreprise dynamique et, presque malgré moi, commençais à m'intéresser aux méthodes américaines de gestion moderne et de direction. Ce qu'on appelle le *management*.

Je réalisai alors que toute la technologie moderne et toutes les méthodes d'organisation rationnelle de travail pouvaient parfaitement s'adapter à la vie d'une maîtresse de maison. A condition d'admettre que chaque foyer est une entreprise comme les autres, qui doit se plier aux lois qui régissent une entreprise industrielle quelle qu'elle soit.

Première loi :

*le rôle d'une bonne entreprise
est de tirer le maximum de profits
des capitaux qui sont mis
à sa disposition.*

Les capitaux, bien entendu, ce sont les

moyens matériels dont dispose l'entreprise. Généralement, les salaires d'un ou des deux époux, sans compter les apports exceptionnels, gratifications, cadeaux, primes, héritages et autres tiercés. Et le profit ? Dans le monde des affaires, le profit se compte en argent. Dans l'univers personnel, le calcul est plus délicat. L'unité de mesure, plus fragile, plus sensible encore à la hausse et à la baisse que les actions, s'appelle le bonheur.

Ce livre n'ayant pas l'ambition de devenir un essai sur le bonheur, mieux vaut laisser le lecteur libre d'interpréter cette notion de profit-là. Cinq minutes de silence ou une grande nuit de sommeil, une grasse matinée ou une longue course en mer. Un sourire ou un bœuf miroton. L'essentiel est que le chef d'entreprise, c'est-à-dire la maîtresse de maison, connaisse bien sa clientèle et sache quel bénéfice elle peut en attendre.

Deuxième loi :
pour obtenir un profit,
il faut répondre aux vœux de la clientèle.

La clientèle de l'entreprise-foyer est difficile

parce que variée, exigeante, en perpétuelle évolution. Le mari épuisé par une journée de travail et un retour harassant dans les embouteillages n'est pas du tout le même client qu'un mari en vacances, bronzé et en pleine forme. Les services que ce même mari demandera à l'entreprise dans les deux cas n'ont que peu de points communs, et son taux de satisfaction (mot barbare mais très explicite utilisé par les organismes d'études de marché) pourra varier de un à cent face à un produit similaire : un morceau de pain avec une rondelle de saucisson. Dans la première hypothèse, le client épuisé accusera volontiers le chef d'entreprise d'avoir paresseusement renoncé à préparer le dîner et de « vouloir décidément compromettre sa santé déjà chancelante avec ce casse-croûte de misère ». Dans la seconde hypothèse, le client reposé trouvera à cet « en-cas » une saveur nostalgique qui lui rappellera « quand j'étais petit et que j'allais chez ma grand-mère dans le Lot... ; le matin nous partions en promenade avec les cousins et elle mettait dans un panier un morceau de pain tout chaud ».

A noter que le panier joue un rôle essentiel dans la mythologie alimentaire de l'enfance, et que toutes les grand-mères étaient des magiciennes. Leur pain à elles n'était jamais rassis, toujours chaud...

Autres clients : les enfants. Souvent moins exigeants que le mari, ils ont d'autres défauts. Leurs habitudes de consommateurs changent constamment, et le chef d'entreprise s'essouffle à tenter de satisfaire leurs capricieux besoins.

Et la femme ? Elle aussi est cliente de sa propre entreprise. C'est là qu'apparaît une des difficultés majeures de l'affaire-foyer. La plupart de ses membres sont à la fois acteurs et spectateurs ; juges et parties ; producteurs et consommateurs. Aussi faut-il élaborer une mécanique très subtile pour accorder de façon harmonieuse les disponibilités d'un mari actionnaire avec les souhaits d'un mari client. Les possibilités d'une femme-travailleur avec les exigences d'une femme-patron. Les conditions d'un enfant-coursier avec les désirs d'un enfant-consommateur.

Face à cette extraordinaire complexité, les femmes reçoivent une formation professionnelle à peu près nulle. La plupart d'entre elles copient l'attitude de leur mère qui agissait en productrice. Fidèles à la tradition qui se transmet en cahotant, elles sont elles aussi des productrices qui appartiennent encore au secteur secondaire. Celui qui définit les ouvriers participant à la production des biens. Jeunes filles, elles croient plus important de réussir une tarte aux pommes que d'apprendre à tenir un compte en banque. Elles abandonnent passivement les commandes de l'organisation aux hommes. Mais les conditions de vie changent. Le secteur tertiaire, celui des employés de bureau, de la gestion, est en pleine expansion. Dans tous les foyers modernes, le même phénomène apparaît.

La tâche essentielle de la mère nourricière était de produire les biens nécessaires à la survie matérielle de l'espèce. La femme moderne est en partie frustrée de cette joie. Par quoi remplacera-t-elle le bonheur primitif de poser au centre d'une table la soupière fumante ? Quel geste pourra égaler dans sa densité symbolique celui de la louche plongeant dans le potage pour dispenser à chacun sa ration ? Quelle récompense plus éclatante dans sa pérennité se substituera aux grognements de satisfaction de l'homme qui accueille comme un hommage les nourritures roboratives ?

Le tableau a aujourd'hui bien changé et ressemble plus à un Bernard Buffet qu'à un Louis Le Nain. On y voit un cadre qui a des ennuis coronaires mastiquer sans joie des haricots verts à l'eau et une grillade sans sel. Se pose alors, aigu, le problème du satisfecit à la *mater familias*. Car cette image a la vie dure dans l'esprit des Français qui demeurent indéfectiblement attachés au côté artisanal du travail ménager. Même les Américains, d'ailleurs, restent hantés par la *mummy* pionnière faisant rôtir le cochon de lait à l'ombre précaire des chariots bâchés.

Parlant de l'attachement de notre pays à une conception dépassée du travail, Louis Armand écrit dans son livre, *Le Pari européen* : « Le Français aime le travail bien fait, mais sous la forme de travail artisanal qui se mesure à la sueur qu'il fait couler. Il est choqué par les méthodes qui conduisent à effectuer un travail sans en voir le résultat naître sous ses yeux. Aujourd'hui encore, l'idée reste très répandue que travailler, c'est encore produire. »

Tous les manuels américains de *management* énoncent pourtant comme une des premières lois de cette science que dans l'économie moderne, la productivité, c'est-à-dire la meilleure utilisation des ressources dont on dispose, ne dépend plus de l'effort musculaire de l'ouvrier. Elle provient au contraire de la suppression de cet effort auquel on substitue d'autres moyens. De réflexion et d'organisation.

L'Europe a depuis peu découvert ces moyens. Le succès des livres, des revues et des conférences sur le management le prouve. Peu à peu, une nouvelle façon de voir, de comprendre, d'agir, pénètre dans l'univers des entreprises de notre continent, obligeant les responsables à renoncer à leurs habitudes héritées elles aussi des traditions du XIXᵉ siècle.

Dans *La France et le Management*, Roger Priouret, avant d'aborder le problème, critique sévèrement les habitudes de pensée des chefs d'entreprise de la vieille école. Curieusement, chaque grief peut être repris pour expliciter le comportement traditionnel des femmes à l'intérieur de leur univers ménager.

Premier reproche :

le patron reste le maître absolu
de son affaire.

Il ne fait confiance qu'à lui-même et ne sait
pas se faire aider. Les trois quarts des femmes répondront qu'elles aimeraient bien déléguer une partie de leur autorité et qu'elles
sauraient, elles, se faire aider si on leur en
donnait la possibilité ; qu'il est facile de donner
de bons conseils et qu'elles aimeraient bien
savoir comment, elles, pourraient ne pas assumer toutes les responsabilités puisque personne n'est capable de les seconder.

Ce raisonnement, énoncé avec la même mauvaise foi, la même lassitude et la même agressivité se retrouve dans la bouche des hommes
d'affaires débordés, incapables d'organiser leur
travail. Eux aussi sont convaincus qu'ils sont
condamnés à demeurer au bureau tous les soirs
jusqu'à neuf heures.

Certaines femmes, en effet, surtout celles qui
ne travaillent pas à l'extérieur, souffrent d'un
véritable complexe de culpabilité si elles n'as-

sument pas elles-mêmes toutes les charges de la vie familiale. Elles déplorent la non-participation de leur mari ou de leurs enfants, mais elles sont les premières à les cantonner dans ce rôle passif. Elles prétendent : « Ça ira plus vite si je le fais moi-même » ; ou : « Nous dépensons trois fois plus d'argent quand il fait le marché le dimanche matin » ; ou encore : « Inutile de leur demander de m'aider à faire la vaisselle, ils font une de ces têtes ! » L'hostilité, pourtant, ne naît ici que d'un mauvais choix psychologique : la contrainte exercée par une corvée exceptionnelle. Quand l'habitude est prise (celle de faire la vaisselle) l'hostilité disparaît. Mais nous verrons plus tard comment « manager » la participation.

Deuxième reproche :

le patron archaïque continue à gérer son affaire selon un droit coutumier.

On voit ainsi se développer un « esprit maison » qui date souvent de plusieurs dizaines d'années et dont le chef d'entreprise lui-même n'a jamais repensé les justifications réelles.

Sans vouloir pratiquer une psychanalyse de salon, on ne peut nier que beaucoup de femmes pratiquent à longueur de vie la fuite en arrière, cherchent le refuge dans l'enfance et s'obstinent à recréer chez elles le climat qui régnait chez leurs parents. Mais les conditions de vie ont changé, et cette stérile nostalgie féminine mène à des aberrations.

Une jeune femme qui s'obstine à habiller aujourd'hui sa petite fille avec des robes à smocks sous prétexte qu'elle en portait étant enfant ne commet pas seulement une erreur pratique (ces robes étant chères et difficiles à repasser), mais elle fait également une faute psychologique : sa fille, en effet, aura honte, vraiment honte de se retrouver déguisée en poupée au milieu de ses petites amies en jeans de velours.

Ces héritages du passé sont innombrables. « On ne mange pas de viande le soir » se transmet encore beaucoup dans les bonnes familles. Il y a cinquante ans, effectivement, les hommes rentraient déjeuner à la maison ; on leur servait un repas copieux et, bien entendu, carné.

Le repas léger du soir s'imposait alors, médicalement.

Aujourd'hui, certains hommes font la journée continue, déjeunent hâtivement. Les écoliers chipotent à la cantine ; les étudiants se contentent d'un sandwich. Tous ceux-là doivent désormais manger de la viande le soir...

Il semble donc urgent de repenser toutes les données de la vie commune, en fonction des nouvelles conditions de la vie moderne.

Dans les cuisines et dans les salles de bain aussi, l'imagination doit prendre le pouvoir. Oui, dans les salles de bain. Car les horaires de toilette d'une maisonnée sont à peu près inconciliables, et les télescopages autour d'un lavabo peuvent littéralement empoisonner la vie d'une famille. Le cumulus est toujours trop petit, les bains du fils aîné toujours trop pleins, ceux de sa sœur toujours trop longs.

Et les miroirs ? Un couple : ils doivent tous deux être au bureau à la même heure. Elle tente de se maquiller les yeux tandis qu'il tente de se raser. La tension monte, la glace étant évidemment trop petite et forcément mal éclairée. La radio, qui dispense les informations, est alors éclaboussée par le robinet qui... « As-tu téléphoné au plombier, rugit l'homme, il y a trois mois que je te demande de le faire. — Non, répond-elle, mais pousse-toi un peu, je ne vois rien. »

Ces fameuses glaces de salles de bain, génératrices de scènes matinales, sont d'ailleurs une des plus belles survivances des habitudes ancestrales. On les place toujours au-dessus des lavabos. Ce qui représente un fossé de cinquante centimètres entre le visage et le miroir. La décoration traditionnelle n'a jamais conçu qu'une femme myope avait, elle aussi, le droit de se maquiller. Soit. Mais pourquoi les femmes myopes n'ont-elles jamais pensé à fixer un miroir (grossissant) à un crochet ? Pourquoi ne sautent-elles pas cet obstacle de la civilisation à leur mise en valeur ?

Troisième reproche :

*le patron a tendance à trop vivre
à l'intérieur de sa propre entreprise
sans se préoccuper de l'évolution
générale du monde.*

Il risque ainsi de ne pas tirer le maximum

de profit des progrès techniques ou du mouvement général de l'économie.

Débordées par leurs tâches immédiates, harassées par un certain perfectionnisme ménager, les femmes restent assises à côté de la vie qui les entoure et manquent terriblement de curiosité pour les techniques nouvelles mises à leur disposition. La sous-information féminine est un sujet de consternation pour les organismes sociaux et pour les responsables syndicaux. Beaucoup de services sont à la portée des « citoyennes ». Elles ne les utilisent quasiment pas. Combien de femmes (et d'hommes) connaissent exactement leurs droits en matière d'assurances ? Combien profitent des avantages consentis par les mutuelles, auxquelles, pourtant, des cotisations sont versées ?

Plus étonnant encore. Je reçois chaque année plusieurs S.O.S. téléphoniques : « Désolée de vous déranger, mais je suis incapable de trouver le numéro d'un ami commun. D'une boutique connue. D'un service de dépannage. Pouvez-vous m'aider ? » Oui, je peux. Ces numéros sont tout simplement dans l'annuaire.

Quatrième et dernier reproche :

*le patron classique
fait preuve d'un trop grand
conservatisme.*

Il voue un respect sacré à la stabilité.

Pourtant, rien n'évolue plus rapidement et plus inexorablement que l'univers personnel. Les enfants croissent, se multiplient, subissent les influences du monde extérieur. Le mari mûrit (ou vieillit selon la façon de prendre la chose), sa situation évolue, ses goûts aussi. Ses conceptions du repos et des loisirs changent. La femme elle-même modifie ses façons de voir, relâche peu à peu ses liens avec sa propre famille, devient adulte.

La tendance très féminine au conservatisme est un contresens. Ce qui était n'est pas toujours mieux que ce qui est. Bien au contraire. La femme-enfant, charmante à vingt ans avec son regard hésitant à se poser sur les réalités, peut attendrir le Pygmalion qui sommeille en tout homme. La même, quelques années plus tard, un peu de fraîcheur en moins et quelques enfants en plus, fera bien de se résoudre à changer de personnage si elle ne veut pas changer de mari.

Sur le plan matériel non plus, la réussite passée n'est pas une garantie de succès pour l'avenir.

Le domaine des vacances, par exemple, doit être exploré chaque année avec des yeux neufs. Ou du moins des yeux bien ouverts.

Le camping bohème, blotti dans un coin sauvage de la côte yougoslave, un peu isolé mais si près de la nature, peut devenir un calvaire organisé si un enfant de moins de cinq ans s'y est fourvoyé. S'il réclame des repas chauds à heures fixes et des nuits fraîches.

Nous avons connu une expérience de ce genre. Nous avions passé deux ans de suite de courtes mais exquises vacances dans un petit hôtel au bord d'une plage près de Saint-Tropez. La troisième année, au lieu de laisser tranquillement notre fils à sa grand-mère, à la campagne, nous décidons de l'emmener. « O joie de voir cette petite boule de tendresse s'ébattre sur le sable chaud. O fierté de le contempler, gambadant devant nous sous les pins. » Le cauchemar a commencé à Avignon dès la descente du train auto-couchettes. Le petit matin de juin était pourtant transparent ; nous nous réjouissions de rouler deux heures, fenêtres baissées, dans l'odeur retrouvée du thym et du romarin. Cette route de garrigue, si bonne à nos mémoires, tourne sans arrêt. Nous ne nous en étions jamais aperçus. Dix kilomètres ont suffi pour nous mettre en face de la réalité. « Je t'avais bien dit qu'il ne fallait pas l'emmener » n'a pas tardé. Nous nous sommes arrêtés douze fois en cent kilomètres. Nous avons visité tout Draguignan à huit heures du matin à la recherche d'une pharmacie ouverte, bu un mauvais café en attendant qu'elle ouvre...

Le lendemain matin, notre fils était méconnaissable. Il avait eu peur la nuit, avait allumé la lumière, la fenêtre était ouverte. Les moustiques étaient entrés, avaient piqué, avaient défiguré. Médecin, pharmacien, gémissements, note d'hôtel. Oui, la vie évolue. Il ne faut pas tenter de réussir les vieilles recettes avec de nouveaux ingrédients.

On disait volontiers autrefois : « L'expérience forme la jeunesse », ou : « On ne recommence pas deux fois les mêmes erreurs. » Mais l'accélération de la vie diminue le rôle de l'expérience, les mêmes circonstances se présentent rarement, il faut constamment innover.

Quelle mère de famille ne se sent aujourd'hui désemparée par l'organisation des études de ses enfants ? Le bachot n'est plus le bachot. Les lycées sont-ils encore des lycées ? Les cycles remplacent les classes. On a même supprimé les sacro-saintes notes, ces repères si commodes. *Rosa* n'est plus la rose, ou, du moins, plus au même âge.

Une de mes amies était récemment convoquée à l'école de son fils. Réunion d'information. Le jeune homme a six ans. Il est en onzième dans un établissement pratiquant les méthodes actives et enseignant les mathématiques modernes. La directrice se lève et déclare à trente mères médusées : « Mesdames, vous avez sans doute du mal à suivre ce que vous racontent vos enfants concernant leurs travaux en classe de mathématiques. (Nous n'employons plus le mot « calcul » qui nous paraît totalement dépassé.) Vous ne pouvez d'ailleurs pas comprendre, les professeurs eux-mêmes doivent assister à des stages pour pratiquer cette méthode. Aussi je vous prie instamment de ne pas utiliser dans la conversation des expressions périmées. Ne leur dites surtout pas que deux et deux font quatre. Vous compromettriez gravement leurs possibilités mathématiques futures. Ils en sont pour l'instant à la théorie des ensembles. »

Les mères sortent, abasourdies. Les plus dynamiques demandent à leur mari d'essayer de leur faire comprendre ce que sont les mathématiques modernes. Quatre-vingt-dix-neuf pour cent d'entre eux l'ignorent totalement. Il s'est vendu cette semaine-là beaucoup de livres sur les math. modernes dans le quartier.

Comme beaucoup d'entreprises européennes, le foyer individuel en est encore au stade artisanal. Il doit, sous peine d'exploser sous la pression trop vive des bouillonnements sociologiques de l'époque actuelle, passer au stade industriel. Celui où l'on considère que diriger une affaire n'est pas un don inné, dont certains peuvent se prévaloir, mais que cette mission et ses exigences peuvent être analysées, organisées systématiquement ; que surtout elles peuvent être enseignées à toute femme ou tout homme normalement intelligents.

Ce système et la foi en son efficacité sont la définition même de la science du *management*.

Une science passionnante. Mais surtout une science résolument optimiste dans la mesure où elle tente de remplacer une attitude passive face à la vie par une philosophie dynamique.

CHAPITRE II

QU'EST-CE QUE LE MANAGEMENT ?

Il est de bon ton de se révolter contre l'emploi abusif des mots anglais dans notre vocabulaire courant. *Management* fait partie de ces termes qui entrent à petits pas dans la vie moderne. Les Européens l'emploient de plus en plus sans savoir ce qu'il signifie exactement et cherchent vainement un équivalent dans leur propre langage. Dans son livre sur l'application des méthodes américaines à la gestion des entreprises, Octave Gélinier a très bien expliqué pourquoi il lui semblait tout à fait impossible d'échapper au terme *management*.

« Dérivant de *manus*, la main, *management* signifie littéralement « manœuvre ». Le manager est celui qui organise la manœuvre, qui, touchant de ses mains la réalité, se débrouille pour que ça marche, réussit en s'adaptant aux conditions changeantes. » En remplaçant « celui » par « celle » n'a-t-on pas déjà une bonne définition de la maîtresse de maison ? La première mission d'une femme en charge d'un foyer n'est-elle pas d'être « celle qui se débrouille pour que ça marche » ?

« Le mot « direction », poursuit Octave Gélinier, a une tout autre image : diriger, c'est indiquer la voie. C'est imposer la règle sans mettre la main à la pâte. Ce mot évoque une conception trop aristocratique pour être efficace. »

O combien aristocratique dans l'univers féminin ! Quelle femme peut se permettre de nos jours de ne plus jamais mettre la main à la pâte ?

« Le mot « gestion » serait plus adéquat. Le gestionnaire est l'intendant qui veille à ce que tout marche pour le mieux. Malheureusement la gestion se limite, étymologiquement, aux décisions de routine d'un intendant à l'exclusion des décisions capitales que seul le maître peut prendre. »

Quelques femmes gestionnaires remettent encore entre les mains de leur « seigneur et maître » toutes les décisions importantes, se contentant d'assurer le plus consciencieusement possible leur exécution. Ce n'est cependant pas faute d'intendantes que ce type de relations se raréfie, mais par extinction de la race des « maîtres ». Débordé par sa vie professionnelle, l'homme n'a plus de goût pour la dictature ménagère. On trouve sans doute encore des cas assez intéressants de cette structure familiale archaïque dans les ménages où l'activité professionnelle et la vie du couple sont étroitement liées : agriculteurs, petits commerçants, professions libérales. Un médecin ou un avocat dont la femme cumule les fonctions de secrétaire et d'épouse a parfois tendance à prolonger sur le plan conjugal les relations hiérarchiques qui s'instaurent dans le travail. Mais, dès que l'homme exerce une activité prenante à l'extérieur, il renonce assez volontiers au pouvoir monarchique. Il semble d'ailleurs que certaines femmes regrettent ces excès d'autorité qu'elles confondaient avec des manifestations de virilité.

Revenons à Octave Gélinier. Il conclut : « Par élimination, nous sommes donc ramenés au mot *management*, et nous pensons qu'il doit être accueilli dans la langue française sans arrière-pensée. Il dérive du latin, comme la plupart des mots français. Par sa consonance, il se retrouvera en famille dans notre vocabulaire. »

Nous l'accueillerons d'autant plus volontiers dans cet ouvrage qu'il est cousin germain de la « ménagère ».

Une fois admis le mot, il faut s'efforcer de savoir ce qu'il recouvre. Très riche de sens, il désigne en anglais tous les éléments nécessaires à la bonne marche d'une affaire, grande ou petite. Il englobe toutes les fonctions de direction. Quand on lit les manuels américains sur ces problèmes, on s'aperçoit que de la plupart d'entre eux toute théorie est absente. Ces livres sont écrits par des hommes d'affaires. Lucides. Directs. Qui se contentent de raconter leurs expériences et d'essayer de faire comprendre à leurs lecteurs comment ils ont surmonté leurs propres difficultés. Ils prennent un cas concret. Ils le dissèquent. Ils expliquent leur démarche. Ils dégagent enfin une sorte de méthode pragmatique qui s'applique à leurs problèmes mais peut s'adapter à toutes les situations. Le pragmatisme est une qualité essentiellement anglo-saxonne qui s'oppose avec une efficace ingénuité au cartésianisme français. Et c'est ce sens de la réussite concrète qui conduit les Américains à adopter dans leurs écoles et leurs universités la « méthode des cas ». Au lieu d'énoncer un certain nombre de théorèmes économiques, le professeur soumet à ses élèves un problème réel : « Vous êtes fabricant d'une pâte dentifrice rose qui rend les dents grises, et votre principal concurrent lance sur le marché une pâte dentifrice grise qui rend les dents roses. Que faites-vous ? » Il les aide ensuite à réfléchir et à choisir la meilleure stratégie pour sortir d'une situation donnée.

Essayons d'appliquer cette méthode des cas à une péripétie extrêmement classique de la vie quotidienne moderne. Nous en tirerons ensuite quelques principes de base du management.

Enoncé : « Vous vous apercevez en essayant une robe de la saison précédente que vous ne pouvez plus la fermer. Elle est beaucoup trop étroite. Quelle conclusion en tirez-vous ? »

Vous pouvez, bien sûr, en déduire :

1. Que cette robe est démodée.

2. Que sa couleur ne flatte pas votre teint.

3. Qu'elle a été achetée il y a trois ans déjà et qu'elle est, par conséquent, amortie.

4. Que vous allez la jeter.

Nous ne retiendrons même pas cette hypothèse ; elle se révèle totalement subjective, et
si elle vous paraît la meilleure, mieux vaut
interrompre là la lecture de cet ouvrage. Il ne
peut en aucun cas vous concerner.

En revanche, si vous admettez que vous avez
pris trois kilos depuis l'année dernière, l'approche du problème est plus réaliste... Une bonne
information vous éviterait les mauvaises sur-
prises de ce genre. Avouez honnêtement que
vous avez volontairement omis, depuis quelques mois, de monter sur la balance qui, dans
votre salle de bain, ne demande qu'à vous fournir fidèlement le point de votre poids. Seuls
se pèsent vraiment régulièrement les gens qui
ne grossissent pas...

Peut-être même avez-vous pratiqué la hon-
teuse politique de l'autruche suralimentée (balance poussée d'un pied sournois sous la bai-
gnoire). Ou, pis encore, avez-vous, avant la
pesée, fait légèrement dévier en dessous de
zéro la petite aiguille, incorruptible témoin
de vos festins.

Ces procédés mènent aux pires catastrophes,
mais ils prévalent encore chez beaucoup de

chefs d'entreprise qui préfèrent laisser dans l'ombre les vérités qui les ennuient. Ils se réveillent souvent trop tard, quand les difficultés se sont muées en drames. L'information est donc la première base du management. Elle permet de résoudre les problèmes quand ils n'ont pas encore pris des proportions irrémédiables.

Nous pouvons donc d'ores et déjà
énoncer la règle n° 1 :

*Un bon manager
doit se tenir au courant.*

Une fois admise l'ampleur du désastre, vous déciderez sans doute de passer à l'action. Mais avant de vous mettre au régime, vous devrez vous efforcer de rassembler un maximum d'éléments qui vous permettront de prendre une décision rationnelle. Plutôt que de dire : « Je ne mangerai plus rien à partir de demain », il vous faudra analyser les causes de la crise, étudier les méthodes d'application du plan d'austérité et envisager les conséquences de votre action. Bien conduite, elle aura beaucoup plus de chance d'aboutir.

Les causes de la crise peuvent être diverses, mais elles sont étroitement liées aux remèdes. S'il ne s'agit que d'une série d'excès alimentaires, quelques semaines de relative disette suffiront à redresser la situation. Si, au contraire, ces kilos superflus ne s'inscrivent dans aucun contexte d'inflation déraisonnable, le recours à un avis médical s'impose. Seul un spécialiste peut, dans les cas délicats, détecter les motifs profonds d'un déséquilibre. Les chefs d'entreprise, qui recourent souvent aux conseils d'un ingénieur en organisation quand ils ne parviennent plus à dominer les virus de leur affaire, le savent bien.

Plus faciles à étudier que les causes, les méthodes d'application demandent aussi un examen attentif. Faut-il :

— Ne rien manger ?

— Ne plus boire ?

— Renoncer au sel ?

— Se contenter d'éliminer les féculents ?

— Saboter le petit déjeuner ?

— Suivre un régime dissocié ?

— Grignoter ces affreux biscuits de chiens coupe-faim ?

Le choix des solutions dépend beaucoup des causes, mais aussi du tempérament individuel. Inutile d'essayer de tricher avec soi-même et d'envisager une ascèse totale qu'un éclair au chocolat fera fondre comme congère au redoux.

Et ce régime, dans quel contexte familial et professionnel s'inscrira-t-il ? Le moment est-il bien choisi pour l'entreprendre ? Résisterez-vous aux trois dîners entre copains prévus dans les quinze jours ? Fournirez-vous facilement le rapport que vous devez remettre à votre chef de service si la famine altère vos facultés intellectuelles ? Conserverez-vous la bonne humeur indispensable à l'équilibre de votre mari qui traverse une difficile période professionnelle ?

Au contraire, les vacances sont-elles imminentes ? Il faut alors, pour ne pas les gâcher, retrouver vite, très vite, la ligne. Les plages,

leur exhibitionnisme allègre, les maillots deux
pièces, le soleil, ne seyent qu'aux minces.

Ces éléments si complexes qui interviendront
dans la décision doivent tous entrer en ligne
de compte au stade de la réflexion. C'est ce
qu'on appelle un choix politique.

Voici donc la règle n° 2 :

Un bon manager
doit étudier tous les éléments d'un problème
avant de prendre une décision.

Si vous prenez la décision de maigrir et de
reperdre en quelques semaines ce que vous
avez gagné en quelques mois, mettez tout en
œuvre pour réussir vite et bien l'action entreprise. Faire les choses à moitié représente une
déperdition d'énergie considérable. Rien n'est
plus démoralisant et plus inefficace. On se prive
un peu dans la journée, on se relève la nuit
pour aller voler un morceau de fromage dans
le réfrigérateur. On perd sur les deux tableaux.
Ayant à la fois vaguement faim et vaguement
mauvaise conscience, accumulant en fin de se-

maine le poids du remords et le remords du poids.

Enfin, vous devrez faire participer votre entourage à votre décision. Vous expliquerez à votre époux que vous avez décidé de perdre trois kilos. Vous lui demanderez de bien vouloir vous aider. Phase très délicate. Par paresse, votre mari renoncera le plus souvent à vous adresser un regard critique si vous avancez la main vers le pain. Avec une courtoisie plus conventionnelle que réelle, il assurera qu'il vous aime « comme ça » et que, d'ailleurs, il a toujours préféré les « femmes un peu rondes ». La complicité de votre mère, chez qui vous allez déjeuner le dimanche, sera également difficile à obtenir. Les mères ont une incurable nostalgie pour le nourrisson potelé que vous fûtes. Vous serez toujours trop maigre pour elle.

Les amis sont plus compréhensifs. Il ne tient qu'à vous de leur téléphoner à la veille d'un dîner pour demander qu'on veuille bien vous préparer un steack grillé. Cette précaution vous évitera peut-être de prendre un air morose devant une choucroute, que vous finirez d'ailleurs par « goûter » pour céder à l'amicale pression des convives non concernés par votre tour de taille.

Aucun chef d'entreprise ne peut donc faire aboutir une action s'il n'obtient l'adhésion et la participation de l'ensemble de ses collaborateurs. A qui il expliquera sa décision d'une façon claire et raisonnable. Car avant de convaincre les autres, il doit être persuadé lui-même du bien-fondé de sa politique.

La règle n° 3 est donc :

*Un bon manager
doit veiller à transformer
une décision rationnelle
en action efficace.*

Voilà en effet, définie par approches successives, la règle des trois unités du management : « Information, décision, exécution. » Ramenée à une formule aussi simple, elle peut paraître primaire. N'est-elle pas dans la plus pure tradition militaire des caporaux d'opérette ? Chacun de nous n'a-t-il pas découvert depuis longtemps qu'il faut savoir ce que l'on veut avant de faire ce que l'on peut ? Ne faisons-nous pas tous du management sans le savoir ? Avions-nous vraiment besoin des Américains pour mettre en pratique ces quelques rudiments de psychologie élémentaire ?

Les tabliers rouges sont tendus. Il pleut des vérités premières. La plupart des cadres européens les ont proférées eux aussi, il y a dix ans, déjà, lorsqu'ils prirent contact pour la première fois avec les théories modernes de gestion des entreprises.

Il manque en effet un élément essentiel à la règle « information, décision, exécution », quand on se contente d'énoncer les trois substantifs, et c'est la notion de système. Si « jamais » n'est pas français, « toujours » est réellement américain. Effort d'information, volonté de modification et rigueur d'exécution ne s'appliquent pas comme une thérapeutique d'urgence, mais comme une médication continue et polyvalente.

Robert McNamara, l'homme que le président John Kennedy avait chargé de réorganiser les forces militaires des Etats-Unis sur des bases modernes, est devenu un des champions du management. Il a montré et démontré que le

management n'était pas seulement une méthode de gestion applicable au monde industriel,
mais surtout une mentalité adaptable à toute
structure sociale. Il affirme : « Le management
est une adaptation permanente au changement.
Tout évolue. Il ne faut jamais s'attacher à une
notion statique de la perfection. Ne pas manager complètement la réalité n'est pas protéger
sa liberté. C'est simplement laisser une force
autre que la raison façonner cette réalité. Cette
force peut être une émotion incontrôlée, l'agressivité, la haine, l'ignorance ou simplement
l'inertie. Ce peut être n'importe quoi d'autre
que la raison. Mais quelle que soit cette force,
si ce n'est pas la raison qui règne sur l'homme,
l'homme n'accomplit pas tout ce dont il est
capable. »

Et la femme ? Est-elle prête à se soumettre
à ce règne de la raison ? Ne va-t-il pas dans le
sens contraire de sa nature, à l'opposé de son
génie, à l'inverse de sa vocation ?

Face à cette approche rationnelle de tous les
problèmes de la vie, on voit les hérauts de
la tradition emboucher les trompettes de la
nostalgie et défendre le fantôme exquis d'une
compagne à cervelle d'oiseau qui traverse

l'existence perchée sur un nuage de paresseuse rêverie. Ces élucubrations subjectives ne résistent pas à l'analyse. Les hommes savent bien au fond que ces créatures irrationnelles sont désirables surtout sur les photos des magazines ou sur les écrans du samedi soir. Chez eux, dans leur intimité, dans leur univers de crème à raser absente ou de compte en banque déficitaire, elles leur posent trop de problèmes.

Je n'ai jamais entendu un homme se plaindre que sa femme soit surorganisée. En revanche, combien s'irritent de ne pouvoir laisser derrière eux le matin, en partant pour l'usine ou le bureau, le drame de l'évier qui fuit et le cauchemar de l'inscription du cadet à l'école communale.

Face aux tracasseries de l'univers administratif qui grignote de plus en plus l'univers personnel, deux êtres conscients et organisés ne sont pas trop pour tenter de mener au port la barque familiale.

D'ailleurs, lorsque les hommes parviennent à des postes de responsabilité élevée, à qui confient-ils leur propre management ? A leur secrétaire. Travailleuses admirables, scrupuleuses, sûres comme une éphéméride, précises comme un ordinateur, que de qualités on prête à vos patrons qui ne sont en réalité que le reflet de votre propre organisation !

Mais, plus encore que les hommes, ce sont les femmes elles-mêmes qui risquent de s'insurger contre le management. Cet effort de réflexion systématique avant l'action, cette rigueur dans la décision ne vont-ils pas tuer, s'interrogent-elles, la douceur de la vie ? La fantaisie n'a déjà que trop tendance à disparaître de notre xxᵉ siècle technologique et communautaire. Ne doit-on pas de toute la force de son charme tenter de freiner ce mouvement vers la robotisation ?

La réponse est non. On peut rassurer les tendres rétrogrades, leur suggérer que le monde des choses matérielles ne représente peut-être pas le meilleur terrain pour cultiver les vertus de l'imprévu et de l'originalité. Les résultats dans ce domaine risquent, en effet, de se révéler extrêmement décevants.

Et le pari est dangereux. Certaines femmes savent effectivement transmuter un dîner raté ou une panne d'essence en scène de séduction. Mais elles seraient bien incapables d'expliquer leur méthode et d'ériger leur comportement en système. Les dons du ciel ne se codifient pas.

Le management, au contraire, ne demande qu'un peu de volonté. Les Américains, qui sont gens modestes, s'efforcent eux-mêmes d'expliquer que toute la force du système réside dans le fait qu'il est à la portée des plus médiocres individus.

Je me souviens d'un ami, homme d'affaires qui, un soir, à New York, me confiait sa déception à la sortie d'un dîner : « Mon Dieu, me disait-il, que ces Américains sont conventionnels dans leur humour, primaires dans leur familiarité et puérils dans leur curiosité. »

Je revis mon ami le lendemain ; il revenait d'un rendez-vous professionnel avec son hôte de la veille. Il était sans voix. « Mon Dieu, parvint-il à murmurer, que ces Américains sont donc efficaces, précis, organisés, méthodiques. Ils ne sont sans doute pas plus malins que nous Européens. Mais avec leur sacré système, ils arrivent à soulever des montagnes. »

Après avoir décrit la complexité du monde professionnel d'aujourd'hui (qui n'a d'ailleurs rien à envier à la complexité de l'univers personnel), Peter Drucker explique, dans un de

ses ouvrages, que seul le recours à des méthodes rigoureuses permettra de dominer les
nouvelles conditions de la bataille économique.
Que M. Drucker veuille bien m'excuser, je me
suis permis de remplacer dans sa citation les
mots « managers », « hommes » et « pères »
par « maîtresses de maison », « femmes » et
« mères », avant de soumettre son plaidoyer
aux lectrices de ce livre. Ecoutons-le :

« ... Mais il n'y aura pas de femmes nouvelles
pour accomplir ces tâches déconcertantes. La
maîtresse de maison de demain ne sera pas
une femme supérieure à sa mère. Elle aura en
sa possession les mêmes dons, elle connaîtra
les mêmes faiblesses et sera enserrée dans les
mêmes limites. Il n'y a pas de preuve que l'être
humain se soit beaucoup modifié au cours de
l'histoire connue et qu'il se soit développé
intellectuellement ou mûri émotionnellement.

« Comment alors pourrons-nous accomplir
ces nouvelles tâches avec les mêmes femmes ?

« Une seule réponse est possible : il faut
simplifier ces tâches. Il n'y a qu'un seul moyen
de le faire : convertir en système et en méthode
ce qui a été fait jusqu'ici par tâtonnement ou
par intuition, ramener à des principes et à

des concepts ce qui était laissé à l'expérience et à l'empirisme, substituer un schéma logique et cohérent à la reconnaissance fortuite des éléments.

« Tous les progrès accomplis par la race humaine, l'habileté qu'elle a acquise pour entreprendre des tâches nouvelles ont été rendus possibles en simplifiant les choses à l'aide d'un système. »

Cette simplification, nous allons le voir, impose un certain nombre de contraintes. Mais les contraintes s'effacent lorsqu'on décide de les vaincre. Il suffit tout simplement de les transformer en habitudes.

CHAPITRE III

LA RECHERCHE DE L'INFORMATION

« Savoir pour prévoir, afin de pouvoir. » Voilà une bonne définition du management moderne. Elle a pourtant été donnée au milieu du XIXᵉ siècle par le philosophe français Auguste Comte, père du positivisme. Les siècles passent, les bons principes restent. Hier comme aujourd'hui, l'action commence par la recherche des données réelles d'une situation. Ce qu'on appelle, de nos jours, l'information.

De plus en plus, nous sommes envahis, cernés, motivés, conditionnés par l'information. Dans le couloir du métro, sur le palier de notre immeuble, le regard neutre (pour ne pas nous influencer) mais amical (pour nous encourager aux confidences), des enquêtrices nous guettent. Elles sont armées d'un sourire stéréotypé, d'un questionnaire ronéotypé et d'un crayon. Elles nous posent des questions essentielles pour notre devenir : « Mettez-vous de la chicorée dans votre café du petit déjeuner ? Sinon, pourquoi ? » Ou : « Pensez-vous que la qualité essentielle pour un homme politique soit : l'honnêteté, la beauté, le réalisme, la conviction, la compétence ? Rayer les mentions inutiles... »

Chacune de nos envies, de nos tentations, de nos réticences, de nos convictions, de nos options, de nos opinions, chacun de nos gestes, de nos souhaits, de nos désirs, de nos refus se trouvent régulièrement détectés, analysés, mis en équations, disséqués, comptabilisés, digérés par des statisticiens, interprétés par des psychologues, engrangés dans des bureaux d'études, publiés dans les journaux, utilisés par des hommes politiques et contestés par leurs adversaires. Des entreprises importantes, qui emploient de nombreux ingénieurs, décortiquent ainsi dans tous les pays du monde le comportement des individus et vendent très cher aux hommes d'affaires ou aux gouvernements les chiffres clefs qui infléchiront leurs décisions futures.

L'instinct, en effet, perd chaque jour du terrain au profit du marketing. Selon une définition officielle, le mot marketing recouvre en fait « tout ce qu'il faut savoir dans une entreprise pour adapter le mieux possible ce que l'on veut vendre aux besoins de la clientèle à laquelle on veut le vendre ». Il est indispensable que cette doctrine passe du général au particulier et que toute ménagère accomplisse un effort dans le domaine de la recherche pour satisfaire plus sûrement aux besoins de sa clientèle.

Beaucoup de femmes sont persuadées qu'elles sont déjà les fidèles servantes de ce culte positiviste. N'essayent-elles pas de se débrouiller pour que tout le monde soit content ? Ne se donnent-elles pas un mal fou pour deviner les désirs de chacun ? Et, d'ailleurs, y a-t-il une personne au monde, une seule, qui connaisse mieux qu'elle les goûts, les caprices, les particularismes de chacun des membres de sa famille ? Les managers modernes récusent cette connaissance instinctive et automatique. Ils prétendent au contraire qu'entre ce que l'on croit savoir et ce que l'on sait se dresse presque toujours la barrière déformante de la subjectivité.

Recueillir des réponses honnêtes

La recherche de l'information véritable demande d'abord une grande lucidité. Il faut en effet être prêt à admettre qu'elle ne débouche pas exactement sur ce qu'on espère d'elle. Combien de fois en posant la question : « Comment trouves-tu ma nouvelle coiffure ? » sommes-nous psychologiquement en état de nous entendre répondre : « Pas tout à fait au point, j'aimais mieux tes cheveux moins courts » (les hommes sont terriblement conservateurs en matière capillaire).

La plupart du temps, on pose une question pour entendre *une* réponse, et non pour connaître la vérité. De pieux mensonges en délicates omissions, de fausses interprétations en insincères concessions, on en arrive à des situations aberrantes. Je me rappelle un samedi d'hiver. Il faisait très froid. Nous avions décidé, mon mari et moi, d'aller le soir au cinéma. « Alors, nous allons toujours au cinéma ce soir », lança mon mari d'un air enjoué au début du dîner. Un silence. « Mais tu sais, si tu préfères rester à la maison, je ne t'en voudrai pas. —

Mais non, répliquai-je, persuadée qu'il mourait d'envie de sortir, nous avions bien dit que nous y allions. Allons-y. » Silence. « Bien entendu, si tu préfères rester à la maison, je suis d'accord. »

Ce dialogue où la mauvaise foi se disputait à la tendresse risquait de durer longtemps. Je suggérai alors de voter à bulletin secret, chacun de nous promettant de dire enfin la vérité. Les deux bulletins dépouillés portaient, souligné, un NON majuscule. Nous avons ri, et poussé tous deux un soupir de soulagement. J'allais au cinéma pour lui. Il allait au cinéma pour moi. Nous n'avions ni l'un ni l'autre envie d'aller au cinéma.

Il n'est donc pas toujours facile, même en faisant preuve d'un grand esprit de curiosité et d'une parfaite objectivité, d'obtenir du client une réponse honnête. Les organismes d'études de marché le savent bien. Mais il faut s'efforcer de recueillir malgré tout un maximum d'informations sûres. Toutes, heureusement, ne sont pas soumises à la subjectivité. Dans le domaine alimentaire, par exemple, on cite encore parfois le cas de maris ou d'enfants admirables qui, par amour conjugal et filial, mangent des plats qu'ils détestent parce que la mère de famille a longuement peiné pour les préparer. Mais cette race est en voie de disparition.

Il est en effet relativement facile de dresser dès le début du mariage une liste complète des préférences et des aversions gastronomiques du conjoint. Cette liste variera très peu tout au long de la vie et se révélera d'une extraordinaire stabilité dans ses orientations.

On distingue deux races alimentaires fondamentales : les conservateurs et les aventuriers. Pour les conservateurs, la cuisine est une valeur traditionnelle, un des piliers de leur équilibre. Ils aiment ce qui est classique et sain. Cela va d'une « *bonne* pomme de terre à l'eau avec du *bon* beurre frais » à un « *bon* beefsteack *bien* tendre grillé à feu *bien* vif » jusqu'à, un jour de folie, « un *bon* foie gras suivi d'un *vrai* haricot de mouton ». Bon, bien et vrai sont les trois mots clefs des conservateurs. Ils se réfèrent à des produits naturels, à une grande qualité des matières premières et à un respect inconscient des recettes transmises de génération en génération.

Les aventuriers, en revanche, font preuve

de goûts beaucoup plus diversifiés. Ils adorent les restaurants chinois, le risotto, le borchtch et le chianti. La bonne cuisine franchit pour eux allégrement les limites de l'hexagone et les frontières sentimentales de la table familiale de leur enfance. A remarquer qu'une forte proportion d'aventuriers se recrutent chez les hommes dont la mère n'était pas très douée pour la cuisine ou qui ont passé une grande partie de leur enfance en pension. Ils apprécient certains plats classiques mais à petite dose. « Encore du poulet » est une phrase type des aventuriers. Ils sont en général moins exigeants sur la qualité que les conservateurs. Pour eux, la vraie qualité c'est la diversité.

Toutes les méthodes modernes de marketing admettent *a priori* qu'un produit se vend bien s'il répond aux désirs d'une clientèle spécifique. Il semble donc évident qu'une fois détectées les tendances fondamentales, il sera nécessaire d'adapter sa production aux exigences d'un mari alimentairement défini. Evident, mais pas tellement fréquent. Beaucoup de femmes, pour « changer un peu », tentent d'imposer à leurs maris conservateurs une irrésistible recette de poussin marocain au citron qu'elles ont découpée dans un magazine. L'accueil est glacial. A qui la faute ? Si la réaction négative est immédiate, le préjudice causé est léger. Il suffira de supprimer le produit incriminé du catalogue et de ne plus tenter de le vendre. Mais les conséquences peuvent être beaucoup plus graves. Face à son poussin au citron, le mari peut se poser des questions fondamentales. Sa femme le connaît-elle vraiment ? Depuis dix ans qu'ils vivent ensemble, n'a-t-elle donc pas compris qu'il détestait ce genre de cuisine ? Le préjudice risque alors d'être considérable. La non-adaptation du produit à la clientèle portera atteinte au prestige de l'entreprise elle-même.

La méthode des tests
« aveugles »

Pour atteindre à une plus grande rigueur scientifique dans les résultats, on peut essayer, pour certains clients difficiles, de procéder à des tests « aveugles ». Ils présentent l'avantage d'éliminer au maximun les éléments subjectifs incontrôlables et de refléter une vérité aussi rigoureuse que possible. Cette méthode s'inspire de celle utilisée dans les hôpitaux pour tester de nouveaux médicaments et connue sous le nom de « méthode placebo ». Elle consiste à donner à deux groupes de malades souffrant des mêmes symptômes deux séries de pilules identiques dont l'une ne renferme aucune substance active, alors que l'autre est composée du médicament que l'on veut tester. On enregistre les réactions des malades. Si les résultats des deux groupes sont analogues, on en déduit que la substance nouvelle n'est pas forcément active et que la subjectivité a complètement faussé les sensations des personnes traitées.

Cette méthode peut parfaitement s'appliquer aux tests alimentaires. J'en ai eu la révélation en assistant aux déjeuners-dégustations d'une centrale d'achat de magasins à succursales multiples. Une fois par mois, les directeurs de la maison se réunissent pour comparer plusieurs produits. Ils dégustent ainsi en hors-d'œuvre quatre marques de sardines, puis quatre sortes de petits pois avec la viande et quatre variétés de fruits au sirop pour le dessert. Une seule qualité de produit est vendue par la maison, les autres sont choisies chez les principaux concurrents. Bien entendu, le secret de la provenance est scrupuleusement sauvegardé. Grâce à ce système, la direction contrôle très strictement la valeur qualitative de sa marchandise.

A domicile, ce genre d'expérience est possible. En versant par exemple du vin de qualité inférieure dans une bouteille de qualité supérieure. La supercherie peut paraître sordide. Mais les résultats sont pleins d'enseignements. Si le client se déclare satisfait et contemple l'étiquette avec l'œil fier de l'amateur éclairé, le poète se trouve contredit : le flacon importe plus que l'ivresse, toute relative. Le même traquenard, économiquement justifiable, peut être tendu aux soi-disants connaisseurs de whisky. On s'apercevra qu'il vaut souvent mieux investir une fois pour toutes vingt francs dans l'achat d'une carafe que de perdre vingt francs par mois sur les approvisionnements en alcool. L'information contribue largement, dans un cas comme celui-là, à l'établissement d'une politique budgétaire cohérente.

Les interviews en profondeur

Mais l'étude d'un marché ne doit pas toujours se contenter de simples réponses par « oui » ou par « non ». Elle doit essayer de cerner de plus en plus précisément tous les aspects d'un problème. En politique commerciale, cette recherche s'appelle une étude de motivation. Au-delà d'une simple option, on s'efforce alors de pousser plus loin l'investigation. On demande aux personnes interrogées de motiver leur choix. C'est-à-dire de l'expliquer. Mais motiver fait beaucoup plus chic dans le vocabulaire de notre époque tout entière imprégnée de terminologie néopsychanalytique.

Ces méthodes d'interviews en profondeur ne s'appliquent pas aux petits appétits quotidiens. Elles risqueraient en effet d'entraîner une paralysie des rouages de décision par excès de scrupules. On voit mal une ménagère faisant son marché s'arrêter devant l'étal d'un mar-

chand de quatre saisons et s'interroger gravement : « Pourquoi ai-je envie d'acheter un
chou-fleur plutôt que des choux de Bruxelles ?
Cette décision ne traduit-elle pas une certaine
paresse de ma part sur le plan de l'éplucha-
ge?... » Mais cette méthode devrait être employée systématiquement pour les gros inves-
tissements vestimentaires, surtout lorsque la
cliente est la femme elle-même. Voici un
exemple d'étude de motivation bien menée.

« J'ai envie de m'acheter quelque chose.

— Pourquoi ?

— Parce que je suis de mauvaise humeur.
Quand je suis de mauvaise humeur, ça me fait
du bien de m'acheter une robe.

— Vous avez donc envie de vous acheter
une robe ?

— Non. Au fond, je n'ai pas envie d'une robe,
mais d'un manteau.

— Pourquoi ?

— Parce que j'en ai besoin.

— De quel manteau avez-vous besoin ?

— D'un manteau chaud, mon manteau de
demi-saison est encore très bien.

— Vous avez donc besoin d'un manteau
chaud ?

— Oui. Il faudrait qu'il aille avec ma robe noire habillée, que je puisse aussi le mettre avec mes jupes grise et bleu marine pour aller au bureau. S'il est bien chaud, je le porterai tout l'hiver du matin au soir.

— Pour aller avec du noir, du gris et du bleu marine quelle couleur voyez-vous ?

— Du rouge bien sûr.

— Vous serez donc tout à fait satisfaite d'un manteau rouge, chaud et classique.

— Non, pas vraiment.

— Pourquoi ?

— Parce que je voudrais aussi qu'il soit ceinturé. Tous mes vieux manteaux sont droits, j'en suis fatiguée. »

Normalement, dans ce cas, l'achat d'un manteau rouge, chaud et ceinturé répondra aux exigences de la clientèle. Alors qu'une robe en crêpe blanc aurait pu correspondre à la première expression des désirs de l'interviewée. Il ne faut donc jamais hésiter à pousser à fond l'enquête préalable. C'est une garantie de succès pour l'entreprise.

De tous les clients, les enfants se révèlent souvent les plus difficiles à satisfaire. Ils expriment, en effet, rarement leurs désirs avec

précision, bien qu'ils soient souvent plus fortement motivés que les adultes. Le Père Noël se
trouve chaque année confronté à ce problème.
Ses interviews en profondeur, son étude de
marché doivent être menées avec la plus grande
précision s'il veut éviter de trahir sa clientèle.
Combien de bicyclettes de grand luxe n'ont pas
reçu l'accueil que justifiait leur prix de revient
et leur qualité technique (« Tu te rends compte,
elle a des pneus demi-ballon et un dérailleur »)
simplement parce qu'elles n'étaient pas rouges
comme celle du meilleur copain ou qu'elles
n'étaient pas équipées d'une trompe trois tons
comme celle du frère aîné. L'enquête préalable
étant généralement longue à réaliser, on ne
saurait trop recommander au « service marketing » d'entreprendre ces études très longtemps
avant le 24 décembre.

La connaissance de la clientèle n'est pas le
seul domaine où puisse s'exercer la recherche
systématique de l'information. Pour adapter
constamment la vie de l'entreprise au monde
qui l'entoure, le manager doit s'efforcer de se
tenir au courant de tous les secteurs qui, de
près ou de loin, peuvent influencer la bonne
marche de son affaire. Nous l'avons déjà vu

au chapitre précédent, le management est avant tout une adaptation aux changements. Ne vaut-il pas mieux tirer parti de ce qui évolue au lieu de tenter de lutter contre cette évolution ?

Dans le cas d'un foyer individuel, les trois secteurs essentiels justifiant un effort constant d'information sont : la sélection des fournisseurs et des matières premières (c'est-à-dire les sources d'approvisionnement), les progrès techniques (c'est-à-dire l'outillage et les procédés de fabrication) et les méthodes d'organisation.

La sélection des fournisseurs

La sélection des fournisseurs ne se pose réellement qu'en milieu urbain, c'est-à-dire quand la concurrence permet de se livrer à des comparaisons intéressantes. Dans les petits villages ou les grands ensembles de banlieue encore sous-équipés en détaillants, les ménagères, n'ayant pas le choix, doivent malheureusement subir la dure loi du monopole. Nous savons tous que certains commerçants abusent de cette situation. On pourrait suggérer alors le recours à la grève des achats. Mais cette pratique, qui a souvent fort bien réussi à certaines associations de consommatrices en Allemagne et aux Etats-Unis, n'est pas encore entrée dans nos habitudes. Excès d'individualisme sans doute. En outre, le soutien général de la famille fait défaut. Elle ne supporterait pas de manquer de viande pendant plusieurs semaines parce que la mère a décidé de mener la vie dure au boucher...

Mais choisissons une situation normale : un marché où la ménagère peut mettre en concurrence plusieurs fournisseurs et opérer un choix en faveur de celui qui lui propose les conditions les plus intéressantes. On s'aperçoit que la plupart du temps elle n'exploite pas réellement ses possibilités.

Chez les Françaises de plus de cinquante ans, ce manque d'agressivité économique peut avoir des racines profondes, lointaines. Pendant la dernière guerre, en effet, d'étranges rapports se sont instaurés entre les mères de famille et les commerçants d'alimentation.

Quand on a, pendant quatre ans, supplié la crémière de bien vouloir vous glisser un quart de beurre au prix de l'or, sous le comptoir, quand on a humblement troqué chez son boucher un bifteck contre un pull-over pure laine, quand on a rêvé pendant des années devant des publicités de choucroute en boîte découpées dans de vieux magazines, on conserve inconsciemment un sentiment de reconnaissance à l'égard de tout pourvoyeur de la manne nourricière. Même si cette manne déborde désormais des vitrines, même si la guerre est terminée depuis bientôt vingt-cinq ans.

Cette explication ne saurait, cependant, justifier le comportement des femmes jeunes, qui n'ont pas subi l'empreinte des temps de disette. Elles aussi font preuve, parfois, d'une impardonnable timidité quand elles entrent dans un magasin pour demander un prix sans réelle intention d'achat. Sous le regard goguenard de la vendeuse qui connaît parfaitement la manœuvre, elles avancent des excuses aussi conventionnelles que peu convaincantes pour sortir d'une situation qu'elles jugent inextricable. Au lieu de déclarer simplement : « Je

voudrais savoir le prix du pull-over bleu qui
est en devanture. — Deux cents francs, c'est
du cashmeere. — Il est trop cher. Merci. Au
revoir, mademoiselle », elles prétextent : « Je
ne suis pas sûre du coloris, il vaudrait mieux
que je revienne demain avec ma jupe. » « C'est
un peu plus que je ne voulais mettre. Il faut
que je demande à mon mari » ; ou encore :
« Il me plaît beaucoup, mais je n'ai pas assez
d'argent sur moi, je repasserai. » Cette dernière
échappatoire est de loin la plus dangereuse.
Elle mène la plupart du temps à l'hallali. La
vendeuse, sournoisement aimable, propose :
« Je peux vous le mettre de côté. Versez-moi
des arrhes, vous viendrez le prendre quand
vous voudrez. »

Il ne reste plus, alors, à l'adorable menteu-
se, que trois solutions :

1. Admettre qu'elle a menti. C'est vexant.

2. Verser les arrhes et ne jamais retourner
dans le magasin parce que : « Il vaut mieux
perdre vingt francs que de dépenser deux cents
francs. Après tout, comme cela, j'ai économisé

cent quatre-vingts francs. » Ce calcul est stupi-
de. Mais que celle à qui il n'est jamais arrivé
de verser des arrhes en pure perte me jette la
pierre. Moi, ça m'est arrivé.

3. Acheter par peur du ridicule un tricot
qu'elle portera à regret ou qu'elle ne portera
pas du tout.

La rationalisation des relations humaines au
stade du commerce de détail faciliterait la vie
des clients, mais aussi des commerçants. Les
vendeurs ne sont ni des domestiques, comme
certaines acheteuses de demi-luxe ont tendance
à le croire dans les boutiques de grand luxe, ni
des bienfaiteurs de l'humanité (nombre de
femmes glissent encore un pourboire recon-
naissant dans la main de leur garçon boucher).
Les commerçants sont les représentants d'une
entreprise capitaliste destinée à obtenir des
bénéfices grâce aux achats effectués par une
clientèle. C'est simple, net, sans passion. Mais
peut-être le contact humain qui s'opère dans la
boutique fausse-t-il cette relation apparemment
saine sur le plan économique.

Le commerce sans visage avec la généralisation du système des libres-services devrait, par conséquent, dans le domaine de l'information, rendre les choses plus aisées. L'usage du papier et du crayon suffit alors à se livrer à des comparaisons de prix très instructives. Mais la rigueur scientifique exige que cette méthode par sondage ne s'applique qu'à des objets de natures strictement comparables. Il faut se méfier des extrapolations hâtives. Beaucoup de commerçants, en effet, acceptent des marges bénéficiaires réduites sur les produits de marque qui peuvent facilement prêter à comparaison chez leurs concurrents directs. Ils se rattrapent sur les autres marchandises moins faciles à codifier. C'est le cas, par exemple, de certains magasins de chaussures qui consentent des remises importantes sur les bottes ou les baskets et élargissent leurs marges sur les chaussures fantaisie qui ne correspondent pas à des normes bien définies et où le caprice de la cliente intervient davantage que les besoins d'une famille.

Les domaines de l'alimentation et de l'habillement ne sont d'ailleurs pas les seuls où doive s'exercer cette recherche du fournisseur le plus avantageux. Tout le secteur de l'électroménager ou de l'ameublement, qui représente les mises de fonds les plus importantes, nécessite cette systématisation de l'enquête préalable. La pratique des devis comparatifs, automatique au moment d'une grosse installation, se perd curieusement quand il s'agit de travaux de moindre envergure. Par exemple, on fera appel à trois entreprises si on envisage de poser de la moquette dans toutes les pièces d'un nouvel appartement. Mais s'il s'agit de retapisser une seule pièce on s'adressera au magasin le plus proche. Par paresse, sûrement, mais aussi par scrupule. Pour ne pas déranger tant de monde pour si peu de chose. Une fois de plus, ce raisonnement est absurde. Si votre commande n'intéresse pas le marchand de tapis, il sera commercialement assez raisonnable pour en décider lui-même. Le client particulier n'est pas chargé de calculer le prix de revient de son fournisseur. Il a déjà bien assez de problèmes avec la gestion de sa propre entreprise.

L'évolution des techniques

Tout foyer est une industrie de transformation. On y achète des matières premières ; celles-ci subissent un certain nombre d'apports techniques avant d'être redistribuées à la clientèle. Or, dans toute industrie de transformation, le chef d'entreprise est chargé de deux tâches essentielles. D'une part l'approvisionnement, de l'autre la fabrication. Il lui est donc indispensable de se tenir régulièrement informé de techniques et de machines mises à sa disposition pour améliorer les conditions de travail de sa main-d'œuvre et abaisser les prix de revient.

Une des sources principales d'information de l'entreprise-foyer demeure la presse spécialisée, en l'occurrence la presse féminine. A noter qu'elle se contente, en général, d'une information strictement neutre qui ne permet pas de se faire une opinion sur l'efficacité des nouveaux outils disponibles. En Allemagne ou en Angleterre, les associations de consommateurs publient des bancs d'essai sévères et documentés sur les moindres moulins à café à mouture variable ou sur l'apparition sur le marché de grille-pain à changement de vitesse. En France, peu de revues émettent des jugements. Dommage...

Comment, dans ces conditions, les couples peuvent-ils se faire une idée précise des avantages apportés par le progrès technologique ? Essentiellement en essayant eux-mêmes. Mais également en trouvant autour d'eux des cobayes qui les feront profiter de leur expérience.

Les essais sont relativement simples et cependant relativement rares, même quand il s'agit de produits bon marché. Lorsqu'on a lancé massivement les nouvelles lessives aux enzymes, des amies interrogées m'ont avoué : « Bien sûr, nous avons été encouragées par la publicité intensive, nous avons acheté. » Acheté, soit ; mais avez-vous comparé avec les produits que vous utilisiez couramment ? Les enzymes vous ont-ils convaincues au point de justifier un changement de vos habitudes ? Non. Oui. Mes amies ne savaient pas, hésitaient. Elles ne s'étaient pas vraiment posé le problème. Les femmes se donnent rarement la peine de rechercher sans passion les qualités et les défauts des choses qui les entourent. Elles aiment se sentir « follement pour » ou « farouchement contre », mais préfèrent laisser dans l'ombre les vraies raisons de leur parti pris.

Beaucoup de consommatrices veulent ignorer que la nouveauté n'est pas forcément un gage de progrès. Tout foyer possède ainsi dans le fond d'un placard une série de nouveautés indispensables, de gadgets géniaux qui auraient dû, en principe, transformer sa vie. Citons, pour mémoire : le tire-bouchon à gaz comprimé, le hache-persil à manivelle, le découpeur de frites à levier, l'ouvre-lettres électrique, le presse-fruit à moteur. Parlons du presse-fruit à moteur.

Je prétends qu'à moins d'être à la tête d'une colonie de vacances, il n'est pas si simple ni si reposant de :

1. Sortir l'appareil du placard.

2. Adapter le disque et la coupelle sur l'axe.

3. Brancher la prise.

4. Poser le demi-citron en appuyant sur le bouton de mise en marche.

5. Maintenir le fruit pendant que le jus s'écoule dans le verre (qui n'est généralement pas exactement sous le bec verseur, ce qui entraîne une déperdition de matière première).

6. Débrancher l'appareil.

7. Nettoyer le filtre.

8. Essuyer le moteur éclaboussé.

9. Ranger le tout.

Est-il plus compliqué et plus fatigant d'utiliser un classique presse-citron en faisant l'effort (musculaire) d'appuyer sur le levier ou de faire pivoter l'agrume coupé en deux ? Dans un cas comme celui-là, un essai représente la meilleure source d'information.

Il n'est cependant pas toujours possible de procéder à des essais. Aussi faut-il parfois s'informer auprès de son entourage. On se heurte là à une difficulté majeure : celle de la classification des sources. Dans le domaine professionnel, la chose est relativement simple, et les nombreux congrès, séminaires et autres colloques qui se déroulent chaque année ont justement pour but d'échanger les expériences des différents membres d'une même branche d'activité. Mais ce qui est vrai pour deux ingénieurs chimistes ou deux dermatologues se révèle extrêmement aléatoire pour des particuliers. Car, dans la vie quotidienne, intérêts et préoccupations ne se prêtent ni ne se partagent. Exemple type de ces informations dangereuses à recevoir, de ces conseils décevants à suivre : « Mon cher, vous devez aller voir ce film, c'est fabuleusement drôle, nous avons passé une merveilleuse soirée » ; ou pis encore : « Mon petit vieux, j'ai trouvé un bistrot génial, c'est excellent et pour rien. » « Pour rien » peut varier de quinze à quarante-cinq francs selon les revenus mensuels de l'aimable gastronome. Et le rire n'est commun qu'aux gens qui ont le même sens de l'humour.

Un bon manager doit donc se créer un panel de références qui sera composé d'un échantillonnage représentatif d'individus partageant le même style de vie et disposant à peu près des mêmes revenus que lui.

Cette règle vaut également pour les méthodes d'organisation. Pourquoi ne pas copier tout simplement ce qui marche bien chez les autres. Les Européens font trop souvent preuve d'un respect excessif de l'originalité. Ils ont honte de prendre les idées des autres et mettent un point d'honneur à réinventer, au prix d'efforts considérables, des méthodes qui ont déjà réussi ailleurs. Les hommes d'affaires commencent à renoncer à ce chauvinisme isolationniste et apprennent qu'un bon voyage d'étude peut leur faire gagner beaucoup de temps dans la modernisation de leur entreprise. Les femmes feraient bien de les imiter.

Combien de jeunes filles prennent la peine, avant de se marier, de se renseigner réellement sur les problèmes auxquels elles vont avoir à faire face. La visite de foyer devrait entrer dans les mœurs, comme la visite d'usine. Cela n'est pas seulement valable pour le grand démarrage du mariage, mais aussi pour tous les changements de résidence. Une mère peut sa-

voir beaucoup de choses mais elle ne peut pas
connaître les avantages et les inconvénients,
les ressources et les pièges de Saint-Cloud ou
de Boissy-Saint-Léger si elle habite le XIV° ar-
rondissement ; et encore moins le style de vie
de Marseille ou de Grenoble si elle a toujours
vécu à Nantes. Or, de plus en plus, les femmes seront appelées à se décentraliser, à se
déraciner, à se retrouver plusieurs fois dans
leur existence dans un environnement étranger. Il faut qu'elles apprennent à recevoir
ces chocs d'une manière rationnelle. Il y a
toujours une amie d'une amie, ou une voisine,
qui peut jouer le rôle d'un mentor. Pourquoi
ne pas les consulter ? Contrairement à ce que
l'on pense, les informatrices ne sont pas cho-
quées par ce genre d'investigations, bien au
contraire. Rien n'est plus excitant que de raconter sa vie.

Mais il ne suffit pas d'engranger les connais-
sances, il faut ensuite les replacer dans un
contexte personnel et les pondérer. En effet,
de même qu'il n'y a pas deux entreprises struc-
turées selon le même schéma, il n'existe pas
deux foyers dont l'organisation et le fonctionnement puissent être absolument identiques.

La recherche systématique de l'information ne vaut donc que si elle sert de point de départ à une réflexion constructive, à une prise de décision rationnelle.

CHAPITRE IV

LA POLITIQUE DE L'ENTREPRISE

DEPUIS une heure, la petite lumière rouge qui interdit la porte du bureau du patron est au rouge fixe. Le « grand chef » ne reçoit pourtant aucun visiteur de marque. Sa secrétaire ne lui a passé aucune communication importante. Il a exigé de ne pas être dérangé. Pas un bruit ne filtre à travers la porte capitonnée. Dans le couloir, ses collaborateurs s'impatientent.

A l'intérieur de la pièce, l'homme est seul. Aucun dossier ne traîne sur l'immense bureau de teck à piétement d'acier mat. Il n'écrit pas. La tête renversée contre le haut dossier de son fauteuil directorial, il semble dormir. De temps en temps, cependant, la main droite esquisse un geste, joue un instant avec les lunettes, les sourcils se froncent. Il est conscient.

En fait, cet homme se livre à l'activité qui justifie son haut salaire, qui explique sa DS 21 noire avec chauffeur, qui assure la progression constante du niveau de vie de ses employés, qui

lui vaut ses cheveux blancs précoces, qui attire
le respect de tous ceux qui travaillent avec lui.
M. le directeur réfléchit.

Paradoxe : pour réfléchir tranquillement,
M. le directeur est souvent obligé de se cacher.
Il éprouve l'irritante impression qu'on lui reproche de perdre son temps lorsqu'il reste
ainsi à ne rien faire. *Ne rien faire*, quelle absur-
dité ! M. le directeur sait bien, lui, que de sa
réflexion approfondie dépend tout l'avenir de
son entreprise. Comment fixerait-il des objectifs cohérents à ses cadres si lui-même ne sait
pas où il va ? Et comment savoir où il va s'il
ne réfléchit pas ?

Un consultant américain en organisation,
John B. Sargent, se montre très frappé par la
dévalorisation de la réflexion dans le monde
industriel : « Nous sommes toujours troublés,
écrit-il, par le peu de temps que les managers
consacrent à la réflexion. La plupart d'entre
eux se laissent complètement déborder par les
détails du travail quotidien, ce qui leur laisse
très peu de temps pour se livrer à une activité
essentielle : la réflexion créatrice. »

Pour John B. Sargent, comme pour ses
confrères, le secret de la réussite réside pour-

tant dans la réflexion. L'alternative est simple :
se laisser conduire par les circonstances ou
prendre l'initiative et construire pour son entreprise un avenir cohérent.

Le monde professionnel américain est un sujet d'inquiétude pour M. Sargent ? Que pense-
rait-il alors de l'univers personnel européen !
Ce domaine, apparemment, n'a guère progressé
depuis le Moyen Age. Combien de femmes sont-
elles prêtes à admettre qu'elles sont capables
d'infléchir le cours de leur existence en prenant simplement le temps de réfléchir ? Il leur
est facile de se persuader que le destin, la
chance, le hasard et, pourquoi pas, les astres,
sont les maîtres de leur destin. Est-ce leur
faute ? Depuis des siècles, dès le berceau, ce
sens aigu de la fatalité est donné en héritage
à tous les bébés qui portent des chaussons
roses.

Nous reviendrons à la fin de ce livre sur le
problème de la responsabilité. Pour l'instant,
nous allons tenter, en considérant toujours le
foyer familial comme une entreprise commerciale ordinaire, de mieux comprendre comment
cette politique de réflexion constante déter-
mine une série de comportements constructifs

et oriente la plupart des décisions importantes.

Connaître
son entreprise

Un bon chef d'entreprise doit d'abord, pour
obéir aux règles du management, connaître
l'entreprise dont il a la responsabilité.

On ne voit pas vieillir le visage d'un être
proche. De même, on subit sa vie plus qu'on
ne la dirige si, de temps en temps, un véritable effort d'analyse n'est pas fourni. Il faut
donc passer régulièrement en revue les tâches
qui fixent la trame de la vie quotidienne, se
demander si elles sont toutes nécessaires et
si elles sont correctement exécutées. Ce point
d'orgue peut aider à jeter aux orties des principes archaïques.

Combien d'énergie est dépensée chaque semaine dans les appartements bourgeois pour
conserver à une batterie de bibelots en argent
leur éclat ? Combien de femmes de ménage au

salaire horaire confortable perdent-elles leur temps à astiquer ces objets qui ne procurent à leur propriétaire qu'une satisfaction limitée ? Attention, il ne s'agit pas de supprimer tout ce qui coûte un effort, mais d'évaluer tout effort à sa valeur positive. Si notre passion pour les objets en argent est vive, alors ils valent la peine qu'on les frotte. Sinon, il faut avoir le courage de les reléguer dans un placard.

Cette remise en question permet aussi de se débarrasser des mauvaises habitudes en reposant assez régulièrement le problème des méthodes. J'ai été un jour tout étonnée de réaliser que je continuais à faire accompagner mon fils de huit ans tous les soirs à sa sortie de l'école. En y réfléchissant, je constatai que ses frères aînés, au même âge, avaient depuis longtemps conquis une certaine liberté de manœuvre. Je n'avais simplement pas pensé sérieusement à ce problème et rectifiai instantanément le tir. Ce qui se révéla bien meilleur pour le garçon, très fier de se voir confier cette autoresponsabilité, et bien moins compliqué pour l'organisation intérieure de ma maisonnée.

Cette chasse à l'inutilité doit se poursuivre

dans tous les secteurs. Si l'on voulait bien se
demander pourquoi on accepte avec résignation de respecter « ce qui se fait », l'existence
s'en trouverait considérablement simplifiée.
Certaines personnes en arrivent, grâce à ce
genre d'examen de conscience, à ne plus voir
les gens qui les ennuient. Vous allez penser
que j'exagère et que je fais trop confiance aux
vertus de la réflexion. Et pourtant, certains
hommes se sont ainsi définitivement débarrassés des cartes de vœux au moment de Noël
et n'ont constaté aucune différence notoire
dans les rapports avec leur entourage. L'économie d'énergie, en l'occurrence, est pourtant
fantastique.

Il ne s'agit d'ailleurs pas seulement, au cours
de ces bilans réguliers, d'examiner ce qui ne
va pas. Il faut aussi faire l'inventaire de ce
qui fonctionne bien. Cela permet en premier
lieu de soutenir le moral des troupes. En effet,
dans le cadre de la vie privée, on a trop souvent tendance à cacher avec les grosses bran-
ches des ennuis la forêt des joies simples. Cette
mise en valeur des éléments positifs permet
également de se poser des questions intéressantes sur les raisons d'une réussite et d'arri-

ver à dégager éventuellement des méthodes dont le but est de transformer en système ce qui relève en principe du hasard.

Chaque couple avec enfant vit cinquante-deux dimanches par an. Certains frôlent l'enfer ; d'autres, au contraire, se fabriquent le septième jour un paradis à la petite semaine. On peut décider que la répartition des dimanches noirs et des dimanches roses dépend d'une série d'impondérables, et se demander chaque samedi avec angoisse ce que le lendemain réservera à la cellule familiale. On peut aussi essayer de fixer un certain nombre de principes de base à partir d'un dimanche réussi et tenter de mettre chaque semaine le maximum d'atouts dans son jeu pour éviter les crises prévisibles (les imprévisibles étant déjà assez nombreuses).

J'ai eu l'occasion de réaliser une enquête auprès de nombreux parents. Ma question était simple : « Parvenez-vous à dormir le dimanche matin ? » Les résultats sont concluants. J'ai constaté que *tous les adultes qui veulent vraiment faire la grasse matinée y arrivent* (*les parents de nourrissons exceptés, bien entendu*).

Les recettes sont innombrables :

1° Livres d'images placés sur la table de nuit.

2° Plateau du petit déjeuner entièrement organisé la veille avec bouteille Thermos de cacao chaud pour éviter le maniement dangereux du gaz et des allumettes.

3° Bonne vieille fessée qui fait comprendre que la semaine suivante la main dominicale d'un père tiré trop tôt de ses rêves vaut la peine d'être laissée au repos.

Certaines mères mettent en doute cette théorie et affirment qu'avec leurs enfants à elles, « ce n'est pas possible ». Je leur suggère simplement de s'interroger sur la véritable énergie dont elles font preuve vis-à-vis de leurs enfants pour dominer ces problèmes, et pas seulement pour s'en plaindre auprès de leur mari. Parmi celles qui se lamentent le plus, la plupart finissent par admettre qu'« après tout le dimanche est le seul jour où les enfants voient leur père », que « s'il dort jusqu'à midi, ils n'ont presque plus de temps pour jouer ou bavarder ensemble ». Cette politique est d'ailleurs défendable, mais que ces tendres mères aient alors le courage de leurs opinions et qu'elles ne créent pas un climat de tension inutile en jouant sur les deux tableaux.

Le premier pas vers une politique cohérente est donc celui de la connaissance honnête et réaliste des conditions dans lesquelles doivent s'exercer les activités de chacun.

Fixer
les objectifs

Mais il ne suffit pas pour progresser de connaître ce qui est ; il faut également essayer d'infléchir ce qui sera.

Le temps n'est plus où un boutiquier assis dans son échoppe attendait placidement que la pratique veuille bien venir lui acheter sa marchandise et s'en retournait tout triste le soir, chez lui, si personne n'avait passé le seuil de son magasin. De nos jours, un chef d'entreprise dynamique doit prévoir l'avenir pour améliorer constamment les résultats de son affaire. « Entreprise » a la même étymologie qu'« entreprendre ». Ces mots impliquent la notion de mouvement vers le futur et non point celle de simple réaction au présent. Pour « manager » l'avenir, les Américains ont ainsi mis au point la méthode des objectifs.

Dans une entreprise industrielle, les objectifs se fixent en général à moyen terme (un ou deux ans) ou à long terme (cinq ou dix ans). Une fabrique de vêtements décidera qu'ayant vendu 2 000 pantalons en 1969, elle doit en vendre 2 200 en 1970 et 5 000 en 1975. Ces objectifs, dynamiques, représentent un taux de croissance de 10 p. 100 par an environ. Mais il ne suffit pas de fixer des chiffres en l'air ; ces taux sont au contraire calculés précisément en fonction de la situation de l'entreprise : possibilités financières, capacité de production, étude de marché auprès de la clientèle, etc. On s'aperçoit alors que pour assurer cette croissance il faudra prévoir un peu plus de publicité, engager de nouvelles ouvrières et, éventuellement, mettre en chantier d'ici à 1975 une nouvelle usine. Construire une usine supposera que l'entreprise emprunte de l'argent, mais il faudra auparavant s'assurer que les banques sont disposées à prêter ces sommes et que le chiffre d'affaires prévu sera suffisamment important pour arriver à rembourser les intérêts de cet argent. Si on constate que les objectifs prévus sont trop élevés, on sera appelé à rectifier la politique de l'entreprise en adoptant une vue plus réaliste. Il se crée ainsi une dialectique constante entre la volonté des dirigeants et les possibilités de leur affaire.

Arrêtons là ce cours de gestion industrielle d'un didactisme un peu simpliste. Il a pour seul but de démontrer que toute la marche d'une affaire est transformée par la pratique des objectifs. En effet, au lieu de laisser les problèmes quotidiens et les forces extérieures déterminer le cours et l'évolution de l'entreprise, cette pratique s'efforce de contrôler son évolution générale. Sur le plan de l'organisation, le résultat est immédiat. La majorité des difficultés de croissance se règlent à priori à un moment où il est possible d'y faire face, au lieu de surgir en cours de route et de s'accumuler sur une période de temps imprévisible.

Transposées sur le plan privé, ces méthodes donnent également des résultats étonnants. Dans la vie de chaque foyer, les objectifs ne manquent pas, des vacances à la montagne au remplacement de la voiture, de l'achat d'un manteau de fourrure au lessivage de la cuisine. Mais pour que les projets vagues ou les désirs latents se transforment en objectifs, il faut les confronter, les chiffrer, les situer dans le temps et se poser honnêtement la question de savoir lesquels devraient être retenus dans la politique générale de l'entreprise. On s'aperçoit alors qu'il existe une énorme différence entre caresser des rêves incertains et inscrire réellement une décision dans le cadre d'un plan à plus ou moins brève échéance.

Comme dans une entreprise, les objectifs doivent être constamment réétudiés et ajustés en fonction de l'évolution générale de la situation : un accroc de santé, une redoutable note de dentiste (les notes de dentistes sont toujours redoutables) peuvent obliger la direction de l'affaire-foyer à retarder de plusieurs semaines un achat important. Mais quels que soient les accidents de parcours, l'ordre de priorité restera le même, puisqu'il aura fait l'objet d'une discussion approfondie et d'une décision politique sérieuse.

Ce genre de discussion suppose de la part des participants une très grande honnêteté mutuelle et un bon « esprit maison ». Si chacun ne pense qu'à satisfaire ses propres objectifs, l'établissement d'une politique cohérente se révèle presque impossible à réaliser. Dans certaines entreprises, on assiste ainsi à des batailles entre les chefs des différents services qui s'efforcent de débloquer à tout prix les budgets les concernant sans vouloir admettre que leurs collègues des autres secteurs ont, eux aussi, des besoins réels. Le style « panier de crabes » est généralement très néfaste à la bonne marche générale de l'ensemble. L'affrontement « tondeuse à gazon » contre « divan du salon » tourne à la mêlée ouverte entre un homme et une femme si les deux adversaires entament la discussion en étant bien décidés à ne pas céder un pouce de terrain.

Il n'y a pas de management dans une entreprise si les éléments humains ne forment pas une équipe cohérente. Les Américains l'ont si bien compris qu'ils organisent constamment des « séminaires » ou des « symposiums » entre leurs différents cadres pour les obliger à laver leur linge sale professionnel en famille et leur apprendre à discuter du devenir de l'entreprise sans faire intervenir trop de considérations personnelles. Certains ménages feraient bien d'organiser ce style de séminaires. Ils y apprendraient à ne pas mêler l'organisation de la vie matérielle à l'évolution des relations personnelles, autrement dit, à ne pas confondre le *hardware* et le *software* [1].

Pour en revenir aux objectifs, signalons que beaucoup de gens refusent, au nom de la fantaisie et du charme de l'existence, cette classification de leurs désirs en fonction de leurs besoins et de leurs responsabilités. Ils s'insurgent contre cette planification de leur vie privée et prétendent avec une feinte résignation : « C'est déjà triste d'être fauché, si en plus il faut se priver ! » A les bien regarder vivre, je

---

1. *Hardware* et *software* servent à désigner, dans l'industrie des ordinateurs, d'une part les machines électroniques elles-mêmes (*hardware*), et d'autre part la matière grise nécessairement dépensée par les hommes pour faire marcher les machines (*software*). L'assimilation du *hardware* aux problèmes matériels par opposition au *software*, qui recouvre le domaine des grands sentiments, est entièrement laissée à la responsabilité de l'auteur du présent ouvrage.

me suis souvent aperçue que ces cigales anarchiques payaient extrêmement cher leur prétendue insouciance. Non seulement en argent, car une mauvaise politique donne toujours de mauvaises finances, mais surtout en usure nerveuse. Rien n'entame davantage le moral comme de friser constamment la catastrophe économique, et j'ai tendance à opposer à leur philosophie une autre façon de voir qui pourrait se résumer ainsi : « C'est déjà triste d'être fauché, si en plus il faut avoir des ennuis d'argent ! »

Construire
une « image de marque »

Une politique d'entreprise doit non seulement être ambitieuse dans ses objectifs, mais dans ses conceptions. Elle pourra ainsi apporter des satisfactions à tous ceux qui sont chargés de l'appliquer et flattera l'orgueil de la clientèle, les deux choses allant d'ailleurs de pair. Si l'entreprise a bonne réputation, son prestige rejaillira automatiquement sur les éléments humains qui la composent.

Pour réussir ainsi à affirmer sa personnalité, l'entreprise devra s'efforcer de se construire une image de marque flatteuse et, si possible, originale.

Qu'est-ce qu'une image de marque ? C'est l'idée que la majorité des gens se font d'un produit, d'une marque commerciale avant même de les connaître réellement. Cette image peut être bonne et provoquer instantanément des sentiments d'adhésion ou d'admiration. Elle peut être mauvaise et stimuler l'instinct de refus ou même d'animosité. Dans le monde industriel, changer son image de marque est une opération qui représente de grands efforts et nécessite des ressources importantes. Christian Dior, par exemple : ce nom évoque la haute couture d'abord, des produits de luxe ensuite : parfums, bas, cadeaux. Cette image de marque permet à la maison de pratiquer des prix relativement élevés et de s'adresser à une clientèle privilégiée. Elle présente donc de très gros avantages. En revanche, elle limite l'expansion de son marché, beaucoup de femmes étant convaincues à priori qu'un produit Dior n'est pas à leur portée. Si demain la maison Dior voulait fabriquer une lessive vendue dans les Prisunic, elle devrait entreprendre une vaste campagne de publicité pour expliquer aux ménagères, clientes des magasins à succursales multiples, qu'elles peuvent mettre du Dior dans leur machine à laver. En faisant cela, la maison Dior courrait, en revanche, un risque grave : celui de perdre une partie de sa clientèle de luxe.

Toute image de marque a donc ses avantages et ses inconvénients, et il faut soigneusement les étudier avant de choisir une politique dans ce domaine. D'autant plus que, comme chacun sait, les réputations ont la vie très dure. Les bonnes comme les mauvaises. Certaines femmes ont ainsi voué leur existence aux fourneaux en optant dans les six premiers mois de leur mariage pour l'image du « cordon bleu qui adore faire la cuisine ». Elles traînent comme un boulet cette infaillibilité qui ne leur permet ni de rater un soufflé (même si les invités sont en retard), ni de déléguer leurs responsabilités à la fille aînée pour la confection d'une mayonnaise, ni de substituer au festin bourgeois des dimanches d'hiver un reposant pot-au-feu. On n'attend plus d'elle un petit plat réussi, on n'espère plus un bon repas : on l'exige. Alors que la femme qui aura donné d'elle l'image « bas bleu incapable de faire cuire un œuf » émerveillera son entourage en servant un steack-frites mangeable.

Comment choisir une image de marque ? D'abord en essayant de ne pas jouer sur tous les tableaux. La dispersion risque d'épuiser les forces vives, surtout dans les petites entreprises. On a presque toujours intérêt à se choisir des domaines fortement spécialisés. Un fabricant de voitures de sport courrait un risque énorme en se lançant dans la promotion de camions pour le transport de bestiaux, les deux images étant difficilement compatibles dans l'esprit du public.

La majorité des femmes commettent cette erreur de stratégie en s'efforçant d'exceller dans un maximum de domaines pour satisfaire tous les besoins de leur clientèle. Ce phénomène est particulièrement fréquent chez les femmes qui travaillent. Par un mélange de mauvaise conscience et de vanité, elles s'épuisent à vouloir cumuler leurs rôles de travailleuses extérieures et de parfaites ménagères.

Elles oublient de compter à l'actif de l'entreprise l'apport moral, parfois, l'apport intellectuel, souvent, l'apport financier, toujours, que représente leur salaire. Elles s'obnubilent sur les inconvénients que leur travail extérieur représente pour l'entreprise. Elles tentent vainement de se comporter chez elles comme si elles ne travaillaient pas, astiquant soudain les casseroles avec frénésie ou faisant réciter les leçons du soir avec la même conscience professionnelle que les femmes au foyer. Elles risquent de compromettre ainsi un capital essentiel au bon fonctionnement de leur affaire : leur capital-santé.

Avec un peu d'humour et de décontraction, elles parviendraient certainement à se construire une image de « femme-qui-travaille-mais-qui-ne-se-débrouille-pas-mal-du-tout-chez-elle », qui rendrait plus faciles les rapports avec la clientèle. Je me souviens d'une charmante jeune mariée qui nous avait invités à dîner un soir, mon mari et moi, et qui nous avait servi un repas délicieux et très savant entièrement confectionné de ses blanches mains d'intellectuelle (elle était avocate stagiaire). Pendant toute la soirée, la conversation devait tourner autour du martyre de notre hôtesse : « Vous vous rendez compte, je me suis levée à six heures pour éplucher les légumes de la jardinière. Et, vous ne le croiriez pas, j'ai mis mon couvert avant de partir pour le Palais. En rentrant, ce soir, j'avais encore tant de choses à faire... » Nous avions l'appétit coupé par le remords, et je mourais d'envie de lui conseiller, la prochaine fois, de nous servir seulement des sandwiches. Et son sourire en prime.

En outre, une image de marque doit correspondre à la réalité et à la vocation de l'entreprise. On ne peut pas vivre longtemps au-dessus de ses moyens, ni financièrement, ni physiquement, ni moralement. Sur le plan physique, c'est le drame des ménages « couche tard-couche tôt » où les conjoints n'ont pas du tout les mêmes besoins en matière de sommeil. Si, dans les premiers mois de la vie commune, un des deux époux veut multiplier les concessions dans ce domaine, il sera obligé de revenir très rapidement à sa nature profonde. Mieux vaut faire admettre dès les débuts une image de marmotte que d'être obligé de modifier sa politique en cours de route, à un moment où la volonté de concessions réciproques se sera quelque peu émoussée.

Une bonne campagne de publicité peut d'ailleurs beaucoup faciliter l'établissement d'une image de marque auprès de la clientèle. Ce qui va sans dire va encore mieux en le disant, à condition, bien sûr, de trouver les bons arguments. Les mères qui travaillent, par exemple, peuvent très bien entreprendre une campagne de promotion auprès de leurs enfants quand ils se plaignent de ne pas les avoir suffisamment auprès d'eux. Voici quelques modèles de slogans qui marchent très fort auprès de cette clientèle :

1. Pour les petits : « Toi tu vas à l'école, papa va au bureau. Et la pauvre maman, qu'est-ce qu'elle va faire à la maison toute seule pendant ce temps-là ? Elle va s'ennuyer ! »

2. Pour les plus grands : « Tu sais, le nombre d'heures qu'on passe ensemble ne compte pas. Ce qui est important, c'est d'être heureux quand on se voit. De s'aimer très fort. Et maman t'adore. »

3. Enfin, pour les très grands : « Vous ne connaissez pas votre bonheur d'avoir une mère qui travaille. Je ne suis jamais là. Je vous laisse beaucoup plus de liberté. Et comme je suis dans le coup, je comprends mieux vos problèmes que la moyenne des mères. »

Rechercher
un « leadership »

Enfin, si l'on veut construire une image de marque extrêmement durable et qui résiste à l'usure de la vie commune, on peut s'efforcer de conquérir un *leadership* dans un domaine particulier. Cette technique du leadership, qui fait partie des théories les plus récentes en matière de management, consiste pour une entreprise à essayer de percer dans un secteur tout à fait nouveau et où elle ne craint pas la concurrence, et à faire porter une très grande part de ses efforts de recherches et de technologie sur cette spécialité de pointe.

En dehors du domaine intime, que nous ne voulons pas aborder, deux secteurs semblent particulièrement recommandables, ces temps-ci, pour la recherche d'un leadership personnel ou familial : le sport et la culture. Les deux se rapportent au secteur des loisirs. Ce qui s'explique facilement : les loisirs prennent une place de plus en plus importante dans la vie privée, et cette importance ne fera qu'augmenter dans les années à venir, comme le prouvent toutes les études prospectives en matière de sociologie. De surcroît, les temps de loisirs favorisent la mise en valeur d'un leadership en l'associant à des moments agréables de la vie, où les relations humaines sont en général plus détendues. Une très bonne nageuse ou un grand amateur de cinéma marquent assez facilement des points, sur le plan du prestige, dans la société actuelle. Et un ménage qui partage une même passion pour la voile ou les jeux de cartes risque moins qu'un autre d'aborder, après quinze ans de vie commune, aux rives terrifiantes de l'ennui conjugal.

Connaissance de l'entreprise et de ses méthodes, choix des objectifs, construction d'une image de marque, telles sont les différentes

options qui permettent à un dirigeant de concevoir une politique cohérente et une stratégie
dynamique. Face à l'éventail des possibilités
qui s'offrent constamment à tout organisme
vivant, il peut, par la réflexion, se rendre maître de son devenir. Dans son livre *Pour une
doctrine de l'entreprise*, Philippe de Woot, professeur associé à l'université de Louvain et ancien de Harvard [1], constate : « Dans le domaine
de l'innovation, la rationalisation et l'organisation tendent donc à prendre la place de l'intuition heureuse et du simple jugement. Autrefois, l'entrepreneur n'apparaissait que de manière occasionnelle, fortuite, ses interventions
étaient soudaines et discontinues ; le progrès
se faisait ainsi par sauts brusques et imprévisibles. Aujourd'hui, son activité créatrice devient de plus en plus permanente, prévisible,
continue. » Toute maîtresse de maison se devrait de souscrire à cette définition de son rôle.
Et elle le peut, à condition d'admettre que sa
vie dépend d'elle, et non le contraire.

1. Harvard : université américaine située à Boston
(Massachusetts), temple actuel du management avec
l'« Harvard Business school » qui, pour les initiés, se
dit simplement « H.B.S. ».

Cette attitude ne fera, hélas ! pas disparaître
les innombrables problèmes de la vie quotidienne, mais elle permettra de les intégrer
dans un système de références cohérentes et
de rechercher, pour les résoudre, les décisions
les plus rationnelles.

CHAPITRE V

LA DÉCISION RATIONNELLE

DANS la vie, tout est décision. Chaque geste est le résultat d'un choix entre deux ou plusieurs solutions possibles. De la détermination d'une carrière à la fidélité à une marque de pâte dentifrice, l'individu passe son temps à répondre, bien ou mal, aux questions que soulève sa propre existence. Même les plus fatalistes, ceux qui ont le sentiment de se laisser guider complètement par les circonstances et qui sont persuadés de « prendre la vie comme elle vient » optent, en fait, pour une politique bien précise : ils décident de ne pas décider. Et nous verrons que l'immobilisme représente également une méthode d'action.

Dans l'univers des affaires, la prise de décision appartient à ceux qui se trouvent en haut de l'échelle hiérarchique. Plus ils sont hauts, plus on attend de leur part ce sens des responsabilités et cette capacité de déterminer pour l'ensemble de l'entreprise l'orientation de l'avenir.

Les « patrons » du début du siècle avaient une très haute idée de ce rôle de meneurs. Seuls maîtres après Dieu à bord de leur « maison », ils étaient conscients de risquer leur fortune et leur réputation en même temps que le destin de leurs employés ou de leurs ouvriers. Mais, avec la croissance des appareils industriels et la complication des méthodes de fabrication ou de gestion, la toute-puissance de l'homme unique a été sérieusement remise en question. Les directeurs d'aujourd'hui ne sont plus les despotes d'autrefois. Ils délèguent une large part de leurs responsabilités et s'entourent de plus en plus d'un collège de cadres chargés de les conseiller et de les aider à prendre des décisions importantes. Si le « oui » ou le « non » final restent encore l'apanage d'un seul homme, il n'est plus le dictat d'un homme seul. Il résulte, dans une affaire bien organisée, d'un consensus presque général.

Cette tendance à la collégialité est d'ailleurs une des dominantes de la société actuelle. Elle est particulièrement marquée dans l'évolution des rapports entre hommes et femmes. L'homme « maître et seigneur » laisse de plus en plus la place au compagnon. On peut regretter cette évolution ou s'en féliciter. On ne peut la nier.

Il se produit donc, de plus en plus, à l'intérieur des ménages, une répartition des responsabilités, et il devient essentiel de structurer les mécanismes de prise de décision pour déterminer celles qui devront être élaborées en commun et faire appel à une réflexion collective approfondie, et celles, au contraire, qui resteront sous la responsabilité d'une seule personne. Une collégialité excessive risquerait de bloquer les mécanismes de la vie quotidienne.

A cet égard, les méthodes modernes de management sont essentielles à étudier. La prise de décision étant, selon les spécialistes de cette science, le mécanisme fondamental de la direction et le secret de la réussite. Tous les manuels classent les décisions en deux catégories bien distinctes : les « tactiques » et les « stratégiques ». Voyons en quoi elles diffèrent et comment elles doivent être « managées ».

Les décisions tactiques

Les décisions tactiques sont les plus fréquentes mais les moins difficiles à prendre. Elles relèvent en général de la simple routine. Il suffit pour les aborder de façon efficace de choisir entre un petit nombre d'éventualités évidentes. C'est le royaume du bon sens et de l'habitude. Tout cadre responsable d'un service qu'il connaît bien peut prendre une « décision tactique » sans avoir besoin de déranger le patron. On prétend même que dans le cas contraire c'est le patron qui est un mauvais dirigeant.

La décision tactique est à une seule dimension, et elle n'entraîne pas de conséquences graves pour l'avenir : le problème est précis, et les questions à résoudre relativement claires.

Coucher un enfant qui se plaint d'être malade est une décision tactique. Il suffit de s'assurer auparavant, en prenant sa température, qu'il ne s'agit pas d'un malaise diplomatique imputable à l'« interro d'histoire et géo ». Cette décision ne justifie absolument pas qu'une mère, même inquiète, appelle son mari au bureau, qu'elle le dérange pour dire simplement :

« Jean-Marie a de la fièvre, est-ce que tu crois que je dois le coucher et appeler le docteur ? » Quelle autre réponse que « oui » peut-elle attendre ? Veut-elle simplement communiquer son angoisse, ou son mari appartient-il à cette catégorie de patrons qui exigent d'être tenus au courant de tout même si ça ne sert à rien ? Difficile à déterminer dans le cas particulier. Mais, en général, les femmes qui font systématiquement partager à leur mari les problèmes dont elles ont la charge n'exercent pas efficacement leur rôle. Elles grippent les circuits de travail. Ce comportement dénote, la plupart du temps, un manque de confiance en soi ou un besoin anormal de se faire remarquer (ce qui revient souvent au même). Certaines secrétaires se font ainsi régulièrement reconfirmer par leur patron des instructions qu'elles ont parfaitement enregistrées quelques heures plus tôt pour se valoriser, pour s'entendre dire : « Effectivement, bien sûr, oui, d'accord... » Elles s'imaginent faire la preuve de leur compétence et ne font que souligner leurs faiblesses.

Les décisions tactiques étant extrêmement variées, les circuits qui permettent de les prendre doivent être simplifiés au maximum. Dans la majorité des cas, ces décisions relèvent de la responsabilité de la femme. C'est un état de fait, assez contestable chez les couples où les deux conjoints travaillent. La tendance actuelle favorise au contraire une répartition sectorielle. La bonne solution consiste à fixer clairement les secteurs qui relèvent de chacun et à s'interdire ensuite rigoureusement de s'immiscer dans un domaine qui n'est pas le sien.

On peut reprocher à cette méthode de favoriser l'autoritarisme individuel par secteur. Ce serait confondre décision avec discussion. On peut parfaitement émettre un avis favorable ou défavorable sur une décision intéressant le secteur voisin. Dans une entreprise où les relations humaines sont bonnes, ce genre d'avis est généralement suivi quand il est sollicité. Si les relations humaines sont excellentes, il peut être suivi, même s'il n'a pas été sollicité. La seule règle indispensable est de se plier à la décision définitive prise par le responsable.

Appliquons cette méthode à un secteur particulièrement litigieux : celui de la vie sociale et des relations extérieures. En règle générale, il semble préférable de confier la responsabilité du calendrier commun (celui qui se situe en dehors des heures de travail) au mari. C'est lui qui a le plus d'obligations professionnelles imprévisibles : dîners de travail, séminaires, voyages professionnels et autres rendez-vous tardifs, et il est assez difficile pour une femme d'arriver à se faire communiquer le détail précis de son emploi du temps. L'homme moyen considère, en effet, qu'un rendez-vous inscrit sur son agenda est un rendez-vous connu de sa femme, entériné par sa femme, approuvé de sa femme. Pour la bonne raison qu'en le notant, il s'est dit : « Tiens, il faudra que j'en parle à ma femme. » Chose « dite », même putativement, étant chose « faite », il est ensuite tout étonné des reproches qu'on peut lui adresser, la transmission de pensée ne fonctionnant pas aussi bien qu'il le croit.

Sauf, bien entendu, pour les femmes qui ont pris l'habitude de consulter discrètement le petit carnet de leur mari. Les hommes sont contre ce genre de pratique, même si elle fait la preuve d'un grand sens de l'organisation. On peut passer outre à une condition impérative : remettre exactement l'agenda à sa place initiale. Les hommes n'acceptent l'indiscrétion que s'ils peuvent feindre de l'ignorer.

La planification du calendrier étant confiée au mari, la femme doit ensuite refuser absolument toute décision définitive sur ce point. Or, la paresse téléphonique des hommes débordés et l'exaspération chronique de leur standardiste aidant, la tradition veut que les invitations se transmettent plutôt par femmes interposées. Celles-ci doivent néanmoins faire preuve de la plus grande rigueur dans la non-décision et se contenter d'enregistrer la question : « Etes-vous libres à dîner le 13 ? » Réponse : « Comme c'est gentil à vous ! Il faut que je demande à Paul. C'est lui qui tient à jour notre emploi du temps. Mais je crains que nous ne soyons déjà pris. » En fait, cette dernière précaution sert à préparer la transmission de la question au responsable sectoriel avec « avis défavorable » : « Les Martin nous invitent à dîner le 13. Ça m'ennuie un peu parce que je n'ai personne pour garder les enfants ce jour-là. Qu'est-ce que je leur réponds ? » Il ne restera alors qu'à rappeler pour exécution de la décision : « Nous sommes désolés, nous ne sommes pas libres, mais merci d'avoir pensé à nous. »

Cette méthode est la seule recommandable ;

elle évite toutes les catastrophes qu'aurait pu entraîner une prise de décision inconsidérée. En voici deux choisies au hasard :

Première erreur : comme elle n'a personne pour garder les enfants, la femme refuse l'invitation. Le soir, elle en informe son mari. Il explose. Il y avait justement ce soir-là chez les Martin « un type important qui vient d'être nommé sous-directeur dans ma boîte. Et ça fait trois semaines que j'essaie de lui parler. Ah ! c'est malin ! Merci beaucoup de prendre soin de ma carrière ! »

Deuxième erreur : sachant que son mari adore les Martin, croyant lui faire une surprise agréable, la femme accepte. Le soir, à son retour du bureau, elle lui annonce la bonne nouvelle. Il explose. Il doit justement partir le 14 à cinq heures du matin sur un chantier à Nantua, et il n'est pas question qu'il se couche tard ce soir-là : « C'est malin ! Merci beaucoup de prendre soin de ma santé ! »

Le problème des décisions « tactiques » se

règle donc assez facilement, à condition de respecter cette règle de la répartition des responsabilités. Il n'en est pas de même pour les décisions stratégiques qui, nous allons le voir, exigent des mécanismes de réflexion extrêmement élaborés.

Les décisions stratégiques

Bien que rares, les décisions stratégiques sont, de loin, les plus importantes. Le concept de stratégie implique une perspective de longue durée, la préparation systématique de l'avenir, la volonté de maîtriser son destin. La stratégie relève du domaine des choix fondamentaux, des grandes orientations, des options de base.

Dans la vie privée, la stratégie s'applique à de très nombreux domaines, tous ceux qui rompent avec le train-train quotidien et qui touchent à des modifications plus ou moins importantes du style de vie du couple : du nombre d'enfants désirés au choix d'une maison de campagne, du changement de situation d'un des deux conjoints à la pratique d'un nouveau sport. Il est sans doute choquant d'affirmer que le management intervient dans la décision de donner naissance à un enfant. Et pourtant... Nous sommes au siècle de la contraception, ce n'est donc plus « le hasard qui fait bien les choses » et la responsabilité de la « politique familiale » d'un couple lui incombe entièrement. Il serait d'ailleurs essentiel de se livrer un jour à une véritable étude de motivation à ce sujet et de définir le subtil cocktail d'impulsions instinctives et d'arguments raisonnés qui aboutit à cette admirable prise de décision, ô combien stratégique ! : donner naissance à un enfant.

Les spécialistes en direction ont écrit aux Etats-Unis des dizaines de livres sur la technique de la prise de décision. Certains extra-simples, d'autres ultra-raffinés dans leur raisonnement. On s'aperçoit, en définitive, qu'à moins d'être directeur de la General Motors, on peut se contenter d'appliquer de façon rigoureuse la méthode recommandée par Peter Drucker, dès 1954, dans son livre : *La Pratique de la direction des entreprises*. L'auteur distin-

guait cinq phases distinctes dans la prise de
décision : définition du problème, analyse du
problème, recherche des différentes solutions
possibles, choix de la meilleure décision, transformation de la décision en action.

Pour bien comprendre cette méthode, prenons un exemple typique de problème stratégique. Il se pose régulièrement dans la vie d'un
couple : l'insatisfaction-logement. Je ne connais
pour ainsi dire pas de ménage, quelles que
soient ses conditions de vie, qui ne soit pas
saisi tous les trois ou quatre ans d'un vague
appétit de mutation qui se traduit par une
mauvaise humeur latente. Les raisons invo-
quées pour désavouer l'habitat familial sont
aussi nombreuses et variées que la vie elle-
même. Citons pour mémoire : « C'est trop petit » ; « C'est trop grand » ; « C'est trop cher » ;
« C'est trop loin » ; « C'est trop bruyant » ;
« C'est trop triste » ; « C'est trop vieux » ;
« C'est trop moderne » ; « C'est trop haut, sans
ascenseur » ; « C'est trop bas près de la rue »,
etc. Tout cela est d'ailleurs parfaitement normal, les conditions de vie familiale étant en
perpétuelle évolution, les enfants se multi-
pliant, grandissant ou se mariant, les revenus

variant, les lieux de travail se déplaçant, les villes se transforment, les besoins ou les désirs se modifiant avec l'âge.

Cette situation fluctuante relève donc, comme nous l'avons vu, du management à l'état pur. Face à ce problème, reprenons donc les cinq principes de Peter Drucker :

Définir le problème

Le premier travail est de s'assurer que le problème qui semble se poser n'en cache pas un autre de nature tout à fait différente. Bien des mésententes conjugales se dissimulent ainsi sous des dehors immobiliers. Nous connaissons tous des couples qui ont transporté dans un camion de déménagement leurs griefs réciproques coincés entre les casseroles et la chauffeuse de velours rouge. Ils sont ensuite fort déçus de retrouver les uns et les autres dans leurs nouveaux murs. Le loyer plus cher, en allégeant la bourse, alourdit encore l'atmosphère.

Dans le domaine matériel aussi il faut savoir évaluer très exactement les données d'une situation pour y faire face le mieux possible.

Une jeune femme de mes amies a eu récemment ce problème à résoudre : soit trois enfants dont une fille calme et deux garçons turbulents. Les garçons dorment (en principe) mais se chamaillent (en fait) dans la chambre mitoyenne à la salle de séjour où leur père doit revoir chaque soir chez lui d'importants dossiers. La sœur studieuse couche dans une pièce isolée du reste de l'appartement par un long couloir. L'atmosphère familiale est tendue. On envisage un déménagement. La mère réfléchit et prend la bonne décision : celle de faire permuter ses enfants. Les diables au bout du couloir, l'ange près du bureau paternel. Le calme est rétabli, l'« économie » d'un déménagement réalisée.

La définition attentive du problème permet donc parfois de le résoudre sans être amené à des mesures de grande envergure.

Analyser le problème

Si, après avoir fait l'effort de le définir, on s'aperçoit que le problème reste entier, il faut alors se livrer à une analyse détaillée pour bien en étudier tous les aspects avant de rechercher des solutions.

Dans l'exemple que nous avons choisi, on s'aperçoit qu'il entre dans le changement de résidence un nombre imposant de facteurs qu'il faut étudier un par un, en les pondérant d'un coefficient d'importance relative. En voici une liste non exhaustive destinée à démontrer l'ampleur des facteurs impliqués : que reproche-t-on vraiment au logement actuel ? Que demande-t-on au suivant ? Quelle charge financière supplémentaire est-on prêt à accepter ? Vaut-il mieux louer ou acheter ? A quelle distance le nouveau logement se trouvera-t-il du lieu de travail ? Quelles écoles pourront fréquenter les enfants, et, plus tard, quel lycée ? Quels transports en commun devra-t-on utiliser ? Pourra-t-on encore voir sa famille ou ses copains ? etc.

Pour bien analyser une situation, il faut aussi savoir envisager ses conséquences d'avenir.

Trop de gens réfléchissent aux problèmes comme s'ils devaient vivre éternellement dans les mêmes conditions. Ils oublient de projeter leurs actes à cinq ou dix ans de distance pour essayer de prévoir leurs répercussions. J'ai eu cependant, un jour, un exemple étonnant de management immobilier. Un jeune cadre de quarante ans (je me refuse à considérer, en dépit de la mode actuelle, qu'un homme de quarante ans est vieux), un jeune cadre de quarante ans, donc, m'annonce qu'il déménage et lâche son grand appartement en location pour en prendre un, nettement plus petit, mais dont il décide de se rendre propriétaire. Sa carrière étant en plein essor, j'avouais ne pas très bien comprendre à quoi correspondait cette opération. « Voilà, m'expliqua-t-il, j'ai soudain pris conscience du fait que je pouvais mourir. Ma femme se retrouverait seule avec nos cinq enfants. Sa pension de veuve ne lui permettrait évidemment pas de payer le loyer. J'aime mieux consacrer une somme mensuelle équivalant aux versements de l'appartement que j'achète. Au lieu de lui laisser des charges, je lui léguerai un capital. Trop de gens sont sottement superstitieux et croient encore que souscrire une as-

surance sur la vie ou envisager l'éventualité de
la disparition du chef de famille précipitera la
catastrophe. Il me semble en l'occurrence agir
non pas en pessimiste craintif mais en adulte
responsable ! »

Voilà qui est vraiment raisonnable ! Je ne
suis pas persuadée que l'épouse a accepté avec
enthousiasme l'idée de perdre deux chambres
d'enfants en échange d'une hypothétique situation de veuve confortable, mais, au moins, on
ne peut pas reprocher à son mari de ne pas
avoir transposé dans sa vie personnelle les
sains principes qu'il appliquait jusqu'alors à
son univers professionnel.

Rechercher les solutions possibles

Comme nous venons de le voir, une réponse
à un problème stratégique ne peut jamais être
blanche ou noire. La complexité même du problème posé entraîne une diversité considérable
de solutions. C'est en comparant ces différentes
hypothèses que l'on approche au plus près la

meilleure décision. Aussi faut-il faire preuve
d'un maximum d'imagination pour envisager
toutes les manières possibles de venir à bout
de l'équation posée par l'analyse. Beaucoup de
gens se butent sur la première possibilité qu'ils
envisagent. Ils passent ainsi à côté de l'action
et restent longtemps enfermés dans leur problème, leur esprit tournant en rond et non pas
rond.

En matière immobilière, l'échange représente
ce genre de réponse évidente à première vue
et qui risque de n'aboutir à rien. Il est extrêmement difficile de trouver l'appartement de
ses rêves, mais s'il faut, en outre, que ce logement soit occupé par des gens qui justement
ont envie de venir habiter l'appartement qu'on
occupe soi-même, alors les chances de réussite
relèvent plus du hasard que du management.
S'obstiner au-delà de dix ou quinze visites ne
sert généralement à rien car le marché se révèle extrêmement limité. Il faut donc, si on ne
réussit pas dans une période de temps donnée,
soit envisager d'autres démarches (achat, location dans un immeuble moderne, location-
vente, achat de l'appartement qu'on habite
pour ensuite le revendre et en acheter un au-

tre, etc.), soit décider de ne pas bouger pour l'instant et remettre le problème à plus tard.

Décider de ne rien faire est souvent une bonne solution, dans les cas d'insatisfaction-logement, la crise étant souvent passagère et le fait d'avoir sérieusement défini et analysé le problème ayant permis de faire ressortir non seulement les inconvénients, mais aussi les avantages de la solution existante. En dressant un bilan précis et détaillé de la situation, on s'aperçoit souvent qu'un loyer raisonnable vaut bien une salle de bain trop petite, et que le charme d'un quartier contrebalance la rumeur du carrefour voisin. Psychologiquement, l'analyse a permis de se dépolariser, c'est-à-dire de diversifier ses préoccupations et ses pensées.

Et puis, le changement est toujours une aventure dont il est difficile d'évaluer toutes les conséquences sur le plan humain. « Dans l'entreprise, explique Peter Drucker, l'action a toujours le même caractère qu'une intervention chirurgicale dans l'organisme vivant. Cela signifie que les gens devront changer leurs habitudes, leur façon d'agir, leurs rapports, leurs objectifs ou leurs instruments. Même si le changement est faible, il y a toujours un risque de choc. Un organisme sain supportera un tel choc beaucoup plus facilement qu'un organisme malade ; en réalité, le terme « sain » en ce qui concerne l'organisation de l'entreprise signifie l'aptitude à accepter facilement des changements sans qu'il y ait de traumatisme. Mais c'est le signe d'un bon chirurgien que de ne jamais couper sans nécessité. » En remplaçant le mot entreprise par le mot couple on ne peut que souscrire à cette sagesse. En période de crise, la rupture brutale du tissu des habitudes que créent l'intimité et la vie commune risque d'aggraver les dangers de conflits et de mésentente. L'intervention peut porter atteinte à un équilibre, instable certes, mais que le temps aurait peut-être permis de retrouver. Elle risque de compromettre définitivement par le fer ce qu'une médecine de bonne femme aurait pu lentement reconstituer.

Le management préconise d'ailleurs cette méfiance à l'égard du changement en période difficile. Il recommande toujours, contrairement à ce qui se passe dans la plupart des affaires françaises, d'opérer les plus grands changements quand tout va bien et que l'entreprise est en pleine expansion. L'euphorie qui règne dans le personnel et l'esprit dynamique qui anime alors la maison facilitent les bouleversements de structures et permettent à la direction d'agir en toute liberté. Tandis que la mélancolie des temps de disette rend presque impossible l'application des mesures nécessaires à un redressement. Comme me disait un jour l'administrateur d'un journal américain en pleine expansion et connu pour ses bénéfices exceptionnels : « C'est quand on gagne beaucoup d'argent qu'il faut faire des plans d'économie. Quand on en perd, il est déjà trop tard pour réagir. » Comme j'admirais la spirituelle logique de ce principe, il sourit et me précisa : « Mais cet aphorisme n'est pas de moi, il a été énoncé par Paul Guetty, l'homme le plus riche du monde ! »

Trouver la meilleure solution possible

Une fois envisagées toutes les hypothèses, vient enfin le temps d'adopter une attitude. Avant de la fixer, il faut, bien entendu, peser le pour et le contre ; en somme, définir précisément la stratégie.

A ce stade du processus, si la réflexion préliminaire a été bien conduite, les choses se passent assez simplement, et la meilleure décision s'impose presque d'elle-même. En matière immobilière, par exemple, on s'aperçoit que le facteur financier pèse d'un poids tellement lourd dans la balance qu'il entraîne presque automatiquement la décision.

Il ne reste plus alors qu'à suivre le cinquième principe :

Appliquer la décision

Ce processus de la prise de décision paraît à première vue d'une logique désarmante et d'une simplicité de raisonnement digne d'un enfant de dix ans. Son efficacité presque garantie ne tient cependant pas à l'analyse des cinq étapes indispensables, mais à la chronologie de leur déroulement. Comme le tiercé, une bonne décision se prend dans l'ordre, en évitant surtout de revenir perpétuellement en arrière.

Cette tendance au regret, au remord, aux ter-
giversations, particulièrement marquée chez
certaines femmes, est épuisante et scléro-
sante. Rien ne désarme plus un homme que
de voir constamment revenir sur le tapis des
problèmes qu'il croyait écartés de ses préoccupations. Même animé par les meilleures intentions du monde, l'excès de scrupules le
conduit facilement au bord de l'exaspération.

Des idées de meurtre peuvent même germer
dans sa tête quand, enfin installé dans la cha-
leur d'un nouveau nid où flottent encore quelques odeurs de peinture, il entend une voix
douce susurrer : « Au fond, tu vois, je ne suis
pas sûre que nous ayons bien fait de déména-
ger. Ici, bien sûr, c'est plus confortable ; mais
là-bas nous avions tant de merveilleux souve-
nirs ! J'ai peur d'avoir du mal à m'habituer. »
Dans les pièces de Sacha Guitry, on qualifiait
ce genre de raisonnement de « caprice », et l'on
pardonnait en souriant au nom de la féminité.
De nos jours, les femmes qui se comportent
de la sorte ont un nom précis, elles s'appellent
des emmerdeuses. Et il semble que les conditions de la vie moderne rendent les hommes

de moins en moins sensibles à ce style de charme-là.

On peut toujours s'arrêter un peu longuement aux carrefours des décisions possibles. Mais une fois une voie choisie, il faut s'efforcer de la suivre.

De même qu'il est presque impossible pour un manager de prendre seul des décisions importantes, il lui est indispensable pour agir d'emporter l'adhésion de tous ceux qui l'entourent. Il lui faut donc reconnaître les vertus de la participation.

CHAPITRE VI

LA PARTICIPATION COLLECTIVE

QUAND un chef d'entreprise ne s'entend plus avec un de ses collaborateurs, qui ne peut pas s'intégrer dans l'organisation de l'entreprise et dont le rendement est décevant, il a la possibilité de s'en séparer. Une maîtresse de maison, en revanche, est obligée de se débrouiller avec le matériel humain dont elle dispose. On ne change pas facilement de mari, et il est tout à fait impossible de changer d'enfants.

Mais, à y regarder de plus près, cette différence se révèle plus théorique que pratique. Dans une entreprise bien organisée, tout au moins au niveau des cadres, c'est-à-dire des hommes qui sont en rapport direct avec le patron, le licenciement n'est pas considéré comme une pratique courante de management ; il représente un recours ultime et, parfois, nécessaire, mais qui traduit presque toujours une erreur de direction. Soit parce qu'on n'a pas su choisir l'homme correspondant au poste à pourvoir (nous ne pousserons pas l'humour noir jusqu'à appliquer ce genre d'erreur au choix d'une femme ou d'un mari), soit que l'homme élu n'a pas disposé des moyens nécessaires pour exécuter les tâches qui lui étaient dévolues.

Le but d'un bon manager est donc d'utiliser au maximum le capital humain dont il dispose. Et il rejoint absolument sur ce point les préoccupations d'une maîtresse de maison.

Utiliser au maximum le capital humain : problème passionnant mais de plus en plus difficile à résoudre, depuis que les industriels se sont aperçus que l'autoritarisme traditionnel était aussi démodé et inefficace en matière de direction que le martinet dans le domaine de l'éducation. Les progrès de la psychologie moderne ont convaincu la plupart des dirigeants qu'il ne suffit plus d'exiger pour obtenir, et que le progrès de tous dépend de l'envie de chacun de participer à l'œuvre collective.

Ce phénomène se retrouve d'ailleurs dans toutes les structures de la société actuelle, et les révoltes des étudiants dans tous les pays du monde contre la pédagogie traditionnelle et l'enseignement magistral correspondent à ce même besoin de communication.

Mais l'autoritarisme avait du bon : il était simple à comprendre et relativement facile à enseigner. Il instituait entre commandeur et commandé des relations primitives régies par « oui » ou par « non », et le dogme n'avait pas besoin d'être longuement développé dans des ouvrages savants pour être transmis de génération en génération Mais dès que le bien-fondé de telles relations est mis en doute, il faut reconsidérer toute l'échelle des valeurs et redéfinir la notion d'autorité. Il n'est pas possible, en effet, de laisser s'éparpiller complètement la notion de communauté, permettant à chacun de n'en faire qu'à sa tête.

Pour assurer la cohésion des différents éléments humains à l'intérieur de l'entreprise moderne, les théoriciens du management ont donc été amenés à concevoir de façon totalement originale le rôle du dirigeant. Ils lui assignent désormais trois tâches essentielles : entraîner l'adhésion, maintenir la participation et déléguer les responsabilités.

Voyons comment ces trois principes peuvent être transposés dans le cadre de la vie privée.

Entraîner l'adhésion

Il faut qu'une décision soit, à la fois chargée
de qualités et chargée d'adhésions. C'est-à-dire
qu'elle soit à la fois la meilleure décision possible et qu'elle requière la plus large adhésion
de ceux qui vont avoir à l'exécuter. Un bon
responsable doit apprendre à vendre ses idées
à une équipe plutôt qu'à donner des ordres.

« Vendre » une idée, c'est être prêt à en discuter avec ceux qui doivent l'« acheter ». C'est
admettre qu'ils puissent demander des explications complémentaires. C'est vouloir convaincre au lieu d'exiger. Ne retrouve-t-on pas ici
les principes essentiels de l'éducation moderne ? Les nouveaux pédagogues recommandent
vivement de ne plus rien imposer aux enfants,
au nom de principes qui leur échappent, mais
de les faire entrer dans un système cohérent
dont les règles sont connues et surtout expli-
cables.

Nous connaissons tous ces « pourquoi » en-

fantins, impérieux et un peu provocateurs.
Quelles que soient notre fatigue, notre ignorance, notre impatience, il faut donner à chacun de ces « pourquoi » des « parce que ». Il
y va de notre prestige, et de notre (provisoire)
infaillibilité. Je me souviens avoir été prise un
jour en défaut par un de mes fils sur le problème des gros mots. Il s'insurgeait contre l'in-
terdiction absolue qui lui était faite de prononcer un certain mot de cinq lettres. L'inter-
diction ne semblait pas valoir pour son père
et pour moi-même. Pourquoi ? J'aurais évidemment pu répondre : « C'est comme ça. » C'était
éluder la question, c'était lâche. Je décidai de
trouver mieux et lui expliquai : « Je sais bien
que tes camarades et toi-même entendez souvent les grandes personnes dire « m... ». Je sais
très bien aussi que tu le dis, comme tous les
garçons de ton âge, et que tu continueras à le
dire, comme moi, quand tu seras adulte. Le
problème n'est pas de ne jamais prononcer le
mot ; c'est de savoir se surveiller dans certaines circonstances de la vie. Ainsi, le jour où tu
travailleras, il sera tout à fait exclu que tu
laisses échapper un « m... » devant ton patron
ou devant un client important. En évitant de

le dire devant nous, les parents, tu t'entraînes simplement à maîtriser ton langage. » J'ai eu la joie de constater que cet argument lui avait paru raisonnable, donc convaincant. Les gros mots ne retentissent plus que loin de mes oreilles. Ceux qu'il m'arrive d'entendre ne doivent qu'aux cloisons trop minces des constructions modernes d'atteindre cette destination non prévue au programme.

Le grand psychologue suisse Piaget, au cours d'un entretien que j'eus avec lui, confirma tout à fait ces principes à propos de l'éducation de ses propres enfants, en affirmant : « Mon but a été de passer le plus rapidement possible du stade de la soumission à celui des rapports de dialogue. Il faut réduire l'autorité au minimum et établir des relations de réciprocité, affectives et intellectuelles. On aboutit ainsi à faire comprendre au lieu d'imposer. Ne pas imposer de règles avant qu'elles soient compréhensibles et tâcher de les faire comprendre à partir de l'expérience de l'enfant, voilà à quoi il faut s'efforcer. »

Beaucoup de parents résistent à cette méthode d'éducation, démissionnent et préfèrent laisser complètement la bride sur le cou de leur progéniture plutôt que de « discutailler » à propos de tout. Ils hésitent à remettre en cause leurs propres convictions, ou ne veulent pas faire l'effort de réfléchir aux motivations de leur comportement. Cela demande du temps, mais aussi une certaine bonne foi qui n'est pas toujours compatible avec les sentiments. La mauvaise foi a ses charmes, et l'on s'insurge contre cette raison que le cœur ne connaît pas. Comme beaucoup de managers de la vieille école, les parents prêchent plus facilement la rationalité pour les autres que pour eux-mêmes.

François Ier ou Alfred de Musset avaient les cheveux longs. Cependant, des milliers de « croulants » se révoltent au nom d'on ne sait quelle esthétique contre les têtes bouclées de leurs adolescents. « C'est laid », disent-ils. « C'est beau », répondent les mineurs à mèches folles. Le beau et le laid se raisonnent-ils ? Non. Mais les parents perdent pied si on leur suggère que l'important n'est peut-être pas qu'ils trouvent leurs fils beaux, mais que le garçon lui-même se sente « bien dans sa peau » en dépit ou grâce à une délirante pilosité.

Tant qu'à être obligé d'en passer par la présence d'un beatnik à domicile, ne vaut-il pas

mieux prendre les devants et progresser dans
le sens de l'avenir, plutôt que de se mettre
en position de se faire forcer la main ?

Les patrons intelligents savent employer
cette stratégie qui consiste à encourager les
initiatives de ceux qui les entourent au lieu
de les contrecarrer systématiquement au nom
de leurs habitudes ou des « principes maison ».
C'est la seule façon pour eux de faire progresser l'ensemble de l'affaire dans le sens de
l'avenir, tout en conservant la direction. En
effet, il est humainement impossible à un dirigeant de se tenir au courant de tout ce qui se
passe et de rester contamment à l'avant-garde
du progrès. Inévitablement, le poids de sa propre formation le retiendrait en arrière de la
main s'il n'y prenait garde. Pour que l'affaire
ne subisse pas un vieillissement « à la tête »
elle doit donc faire appel à des éléments jeunes
qui mettront leur sang neuf et leurs connais-
sances récentes au service du but commun
(ainsi s'explique d'ailleurs l'emballement actuel
des entreprises françaises pour les cadres de
moins de trente ans). En pondérant les jeunes
idées d'un coefficient de modération représenté
par les « vieux meubles » travaillant depuis

plus longtemps dans l'affaire, on peut sortir de la routine. Ce qui est non seulement plus rentable pour l'entreprise, mais aussi beaucoup plus satisfaisant pour tous sur le plan professionnel. Chacun se sent « dans le coup ». C'est le principe même de la participation.

Maintenir la participation

Il ne suffit pas, en effet, de faire comprendre, il faut aussi donner envie d'agir. Les deux choses étant souvent liées, mais pas toujours. Chaque membre d'une communauté, qu'elle soit professionnelle ou personnelle, doit se sentir concerné par le devenir de l'ensemble du groupe. Les idées et les initiatives ne doivent pas simplement circuler de haut en bas, sous forme de directives ou d'ordres précis ; elles doivent également donner lieu à des échanges collectifs qui permettent à chacun de s'exprimer et de donner libre cours à ses idées ou à ses critiques. Même si, en définitive, la décision, comme nous l'avons vu au chapitre

précédent, reste l'apanage d'une ou deux personnes seulement.

Les cadres d'une entreprise qui ont longuement discuté d'un nouveau projet au cours
d'une séance de travail et de réflexion collective
adoptent d'enthousiasme les initiatives de la
direction quand elles recoupent leurs propres
idées. Alors que la même décision, tout à fait
conforme, cependant, à leur propre analyse
de la situation, les aurait choqués si elle avait
été prise de façon dictatoriale dans le bureau
directorial. Cette nécessité de la participation
est encore plus évidente lorsqu'on est en désac-
cord avec l'ordre reçu. S'il a été possible au
cours d'un débat général d'entendre les arguments des adversaires et de comprendre les
motivations de la décision prise en dernière
analyse, on se plie beaucoup plus facilement
à la volonté commune. Dans le cas contraire,
une très grande mauvaise volonté risque de se
faire jour. Pour permettre ces échanges d'idées,
les grandes entreprises multiplient les réunions
de groupe et les séances de réflexion collective.
Il est de bon ton de sourire dans les entreprises
traditionnelles de ces conférences ou séminaires, sous prétexte qu'ils représentent une perte

de temps pour tout le monde. C'est faux, on y gagne au contraire beaucoup d'énergie, en appliquant à tous au lieu d'être obligé de convaincre chacun, le comble du management pour un dirigeant étant d'arriver à faire définir par ceux qui l'entourent la politique que lui-même préfère, mais en ayant l'air de se rendre aux arguments de la majorité.

Cette technique, nous ne ferons pas l'injure à nos lectrices de l'exposer plus en détail. Les femmes sont depuis des siècles orfèvres en la matière et savent parfaitement rendre à César ce qui leur appartient en propre, pour faire à la fois plaisir à César et à elles-mêmes.

Mais cette méthode ne s'applique pas seulement aux relations entre maris et femmes, elle vaut également pour des quantités d'autres relations.

Une femme de ménage, par exemple, s'intéressera davantage à son travail, et par conséquent travaillera davantage (toutes les études de psychologie du travail ont démontré que les deux choses vont toujours de pair) si on prend la peine de tenir compte de ses suggestions et de s'intéresser à ses techniques. Trop de maîtresses de maison veulent imposer leurs façons de faire aux personnes qu'elles emploient et n'obtiennent pas, de ce fait, un travail satisfaisant. C'est le fameux « chez nous » qui définit dans un ordre immuable que les lits doivent être faits avant la vaisselle du petit déjeuner et que la lessive du mercredi succède irrémédiablement aux carreaux du mardi. Rien n'est plus décourageant pour l'employée qui subit cette réglementation que de se sentir strictement reléguée au rang d'instrument d'exécution sans pouvoir intervenir en rien dans l'élaboration de son travail.

J'ai d'ailleurs remarqué que les femmes qui exercent une activité professionnelle à l'extérieur se plaignent moins de leur femme de ménage que les autres. Cela s'explique tout simplement par le fait qu'elles ne jugent du travail effectué que sur les résultats obtenus. L'absence forcée leur évite de s'énerver sur les points de détail.

Elles sont, en outre, beaucoup plus conscientes que la femme au foyer du service qui leur est rendu. Qui leur accorde le droit de s'effondrer en rentrant du bureau et de gémir : « Je suis crevée, je serais incapable de lever le petit doigt » ? Leur soubrette, personne d'autre.

Curieusement, d'ailleurs, certaines femmes font preuve d'un autoritarisme ménager absolu, alors que dans ce domaine elles seraient plutôt des autodidactes.

Cette sorte d'assurance nuit irrémédiablement à la bonne organisation de la vie, elle empêche dans beaucoup de cas la délégation d'une partie des responsabilités à des tiers, ce qui est pourtant essentiel en matière de participation.

Déléguer les responsabilités

La plupart des patrons qui n'arrivent pas à se faire aider limitent de ce fait même le développement de l'entreprise qu'ils dirigent. La croissance suppose une multiplication des tâches et des décisions auxquelles un homme seul ne parvient plus à faire face de façon satisfaisante. Les conseillers en organisation passent le plus clair de leur temps à répéter à ces autocrates que les « cimetières sont peuplés de gens indispensables ».

Les hommes qui ont créé leur propre affaire ont beaucoup de mal à admettre, en effet, qu'un de leurs employés puisse régler une question avec autant de compétence et de foi qu'eux-mêmes. Comme nous l'avons vu au début de cet ouvrage, les femmes éprouvent dans leur vie privée un même sentiment de compétence exclusive pour tout ce qui concerne le bonheur et le bien-être de leur entourage. Elles commettent en cela une double erreur stratégique et politique : stratégique, car elles se privent du secours et du soutien qui leur seraient utiles pour les aider à mener à bien leurs différentes tâches ; politique, car elles limitent elles-mêmes leur propre capacité de développement en ne sachant pas se décharger d'une partie de leurs obligations pour consacrer ainsi plus de temps à des activités importantes et intéressantes.

Elles doivent à tout prix essayer de suivre le processus recommandé aux managers pour apprendre à déléguer des responsabilités : faire confiance, donner des responsabilités, admettre le droit à l'erreur mais sanctionner l'erreur comme la réussite.

Faire confiance, ce n'est pas le plus facile.

Un professeur d'une école privée me racontait un jour : « Je suis stupéfait de voir à quel point les parents mettent en doute le jugement que nous portons sur leurs enfants. Dans le système scolaire actuel, où le conseil de classe joue un rôle essentiel, les professeurs s'efforcent réellement, après une longue discussion, de déterminer le niveau de connaissance et les qualités de réflexion des enfants avant de les orienter vers telle ou telle section. En fin d'année scolaire, vous ne pouvez pas vous imaginer le nombre de parents qui viennent littéralement nous insulter. Ils nous décrivent une petite fille ou un garçon qui n'a strictement aucun rapport avec les jeunes élèves que nous avons vu vivre devant nous pendant trois trimestres. Ils nous toisent, nous foudroient et tonitruent : « Vous n'allez tout de « même pas m'apprendre à connaître *mon* fils « ou *ma* fille) ». Les pères sont d'ailleurs souvent pires que les mères. Ils refusent absolument que leur fils soit un littéraire si eux-mêmes furent mathématiciens ; refusent encore plus d'admettre que leur fils est un cancre si eux-mêmes furent brillants. Certains retirent tout bonnement leur progéniture de l'école si nous n'acceptons pas de suivre leurs dictats. »

Même écho auprès d'une psychologue spécialisée dans les cas difficiles. « Plus les parents sont intelligents et éduqués, plus il est difficile de leur faire entendre raison. La moitié d'entre eux ne tiennent compte de nos avis que lorsqu'ils cadrent exactement avec leurs propres opinions. Sinon nous sentons bien que dans leur for intérieur ils nous considèrent comme des charlatans. »

Ce cas illustre parfaitement le manque de confiance dont font preuve beaucoup de gens à l'égard des professionnels. Que ce soient les médecins ou les garagistes, les décorateurs ou les avocats, tous se plaignent de voir leurs clients mettre en doute leur compétence. Leur premier réflexe est toujours de croire qu'on ne comprend pas à quel point leur problème est différent de celui de leur voisin. « Je ne suis jamais sûr que mes ordonnances seront suivies intégralement, constatait un jour un ami médecin. La plupart de mes malades choisissent parmi les médicaments que je leur recommande ceux qui leur plaisent, ou les moins chers. Certains diminuent les doses de moitié. D'autres interrompent un traitement sans me le signaler, ou doublent la dose s'ils ne constatent pas un bienfait immédiat. Ils ne se rendent pas compte qu'ils frôlent ainsi les pires catastrophes. Et comme je ne les reçois que s'ils résistent à cette automédecine, ils demeurent persuadés qu'ils ont eu raison. »

Les Américains, à cet égard, se comportent avec plus de bon sens : ils croient à la valeur des diplômes et considèrent à priori le « pro » comme plus compétent qu'eux-mêmes dans sa spécialité. Un décorateur qui a travaillé plusieurs années aux Etats-Unis avant de s'installer en France constatait, lucidement (et amèrement) la différence de mentalité dans les deux pays : « Une Américaine ne fait appel à vous qu'après avoir pris tous les renseignements sur votre activité. Elle s'enquiert de vos prix de façon rigoureuse, mais, une fois qu'elle les a acceptés, elle ne revient plus jamais sur la question ; elle considère surtout qu'un décorateur pourra lui apporter des éléments qu'elle aurait été incapable de trouver elle-même. Ici, c'est exactement le contraire ; toutes mes clientes essaient de m'imposer non seulement leurs conditions financières, mais aussi leurs idées et leurs goûts. Si bien que j'ai souvent envie de leur conseiller de faire tout par elles-mêmes. Les hommes sont d'ailleurs plus accommodants et j'aime mille fois mieux m'occuper de bureaux ou de magasins. Avec les particuliers, j'ai constamment l'impression désagréable de voler l'argent qu'on me donne. »

Dans l'univers personnel, de plus en plus différencié dans ses activités et difficile à manier, il est absolument indispensable pourtant de savoir confier une partie de ses problèmes à ceux qui savent les résoudre. Mais cette délégation des responsabilités ne doit pas seulement jouer vis-à-vis des conseillers extérieurs ; elle doit aussi s'imposer à l'intérieur du foyer.

Déléguer ses responsabilités ne signifie pas confier une tâche à quelqu'un de façon provisoire et inattendue, c'est réellement se décharger d'un souci sur une autre personne, après s'être assuré qu'elle était capable de le prendre en charge et de considérer à partir de ce moment-là qu'on n'a plus besoin de s'en occuper, quitte à opérer un contrôle de temps en temps. Une fois admis, par exemple, que les enfants sont en âge de mettre le couvert, il faudra bien leur expliquer le cérémonial et recommencer la démonstration aussi souvent que nécessaire jusqu'au moment où ils seront devenus « pros ». A partir de cet instant, on s'efforcera même de ne pas leur rappeler de le faire. Si au moment de se mettre à table leur tâche n'est pas exécutée, ils seront vexés (du moins peut-on l'espérer) et n'oublieront pas le lendemain.

Sans cette décision, prise un jour par certains hommes, d'apprendre à déléguer leur confiance, nous en serions encore au stade des artisans, et le monde moderne ne se serait jamais construit. Cette survivance de la confiance préférentielle, en soi-même, représente sans doute le frein le plus puissant à l'expansion dans le monde des affaires, car la journée d'un P.-D.G., comme celle de tous les êtres humains, n'a que vingt-quatre heures. Beaucoup de femmes s'enferment volontairement dans ce carcan qui les empêche de multiplier et de diversifier leurs activités. Combien refusent encore de mettre leurs enfants demi-pensionnaires parce qu'elles estiment qu'ils sont moins bien nourris que chez elles. C'est sûrement exact, et puis après ? Mieux vaut compenser au dîner de très hypothétiques carences alimentaires (ce qui est bon n'est pas toujours plus nourrissant que ce qui est mauvais) et disposer d'une journée entière pour organiser son espace-temps.

Mais pour arriver à déléguer ses responsabilités, il faut être prête à admettre le droit à l'erreur et ne pas attacher une importance excessive aux fautes commises. Une bonne façon de les évaluer est de se demander honnêtement ce que l'on aurait fait dans les mêmes circonstances. On s'aperçoit très souvent que les résultats n'auraient pas été beaucoup plus satisfaisants. Les femmes modestes arrivent beaucoup mieux que les autres à se faire aider. Malheur à celles qui pensent tout haut que leur mère ou leur belle-mère ne savent pas s'occuper aussi bien qu'elles de leurs enfants. Elles se trouveront devant cette impasse : se priver volontairement du secours précieux des grand-mères, par excès de scrupule, ou s'en priver involontairement, le jour où les chères *mamy*, excédées par les reproches voilés et les allusions acerbes, auront rendu leur tablier de nurse. Très peu des jeunes femmes dans ce cas réalisent que le refus de participation grandmaternelle leur est seul imputable et préfèrent accuser l'égoïsme du troisième âge.

Toute vie domestique, quelles que soient les méthodes employées ou les personnes impliquées, comporte une dose normale de catastrophes inévitables. Verres brisés, genoux d'enfants écorchés, chemises roussies, vêtements déchirés, dîners brûlés, argent gaspillé pourraient se calculer selon une statistique moyenne annuelle, dont on s'apercevrait certainement, si on se donnait la peine de l'établir, qu'elle est d'un niveau presque constant dans tous les pays du monde occidental, les fées du logis équilibrant par leur perfection la déficience des « incapables-de-faire-quoi-que-ce-soit-de-leurs-dix-doigts ». Toute personne qui parvient à soulager une maîtresse de maison d'une partie de son fardeau en ne dépassant pas le seuil de catastrophes acceptables peut être considérée comme un apport intéressant à la bonne marche de l'entreprise.

J'ai eu beaucoup de mal à faire admettre à mon mari cette théorie du « quota de catastrophes acceptables ». Il avait la curieuse habitude de remettre en question la capacité globale à chaque erreur commise. Un de mes fils, chargé pendant la période des vacances d'aller à la ferme voisine chercher le lait à bicyclette, est revenu un matin aussi marri que Perrette et avec aussi peu de lait. Une chute avait mis fin à ses rêves et à notre café au lait du petit déjeuner. « Tu vois, s'exclama son père, je t'avais bien dit de ne pas le charger de ce travail. Il était évident qu'il tomberait un jour. » Je m'efforçais alors de convaincre mon époux courroucé que deux litres de lait et un pot de grès marron acheté au marché du village représentaient à mon avis une marge d'erreur acceptable par rapport au soulagement que représentait pour nous le fait d'être débarrassés de la corvée. Si le garçon avait renversé le lait tous les jours, nous aurions pu commencer à nous poser des problèmes de réorganisation (ainsi que d'émettre des doutes sur ses talents de commissionnaire ou ses facultés d'équilibre) ; mais à partir du moment où il s'agissait d'une erreur prévisible, puisque « ça devait arriver », il était inutile de remettre en question tout le service transports et de bouleverser une organisation assez satisfaisante.

Mais, parfois, le seuil des catastrophes acceptables est largement dépassé. Il faut alors être capable de sanctionner l'erreur quels que soient les inconvénients que cela représente. Sinon la responsabilité du mauvais fonctionnement risque de retomber sur le manager lui-même. Un chef de service qui n'arrive pas à se faire aider n'est pas un chef de service qui n'a pas de chance, c'est un mauvais chef de service, trop faible ou trop autoritaire, mais en tout cas incapable d'assumer les tâches qui lui sont confiées. Certaines femmes passent ainsi leur vie à se plaindre auprès de leur mari ou de leurs amies de l'incompétence de leur bonne à tout faire. Elles ont tort. La plupart du temps, elles démontrent ainsi leur incapacité à se faire aider ou leur manque de courage qui les empêche de se séparer de quelqu'un qui travaille mal, quitte à faire elles-mêmes le travail pendant la période intermédiaire. Elles ont d'ailleurs des excuses : il n'est pas facile d'assumer ce genre de risques, surtout pour les femmes qui travaillent à l'extérieur. Mais alors, qu'elles ne se plaignent pas...

Se plaindre représente d'ailleurs la pire des solutions en toutes circonstances de la vie matérielle. Les gémissements n'avancent à rien et abîment l'image de marque auprès de l'entourage. Il faut admettre les situations telles qu'elles sont, ou prendre des mesures énergiques pour y remédier. Il est toujours fascinant de voir, à cet égard, les étonnants rapports de certaines femmes avec leur coiffeur.

Tout le monde sait que les coiffeurs ont la détestable habitude de faire attendre. Les femmes qui ne sont pas débordées peuvent parfaitement admettre cette perte de temps, mais elles éprouvent le besoin de se lamenter constamment : « Je vous assure, Jérôme, ce n'est pas possible, j'ai un rendez-vous dans un quart d'heure, je ne peux pas attendre, je vais m'en aller. » Et Jérôme, qui entend neuf heures par jour ces litanies sans les écouter, laisse glisser sur son fer à friser les menaces non suivies d'exécution et plante tranquillement toutes ces pleureuses au pied de leur casque. En revanche, je peux recommander une autre méthode pour l'avoir expérimentée moi-même. On prévient son coiffeur en arrivant (et non les cheveux mouillés, ce qui vous met inévitablement en état de dépendance) qu'on ne peut en aucun cas attendre plus d'un quart d'heure. S'il dépasse cette limite, inutile de crier ou de tempêter, le mieux est de s'en aller et de ne pas revenir chez lui pendant trois ou quatre semaines. A la fin de la quarantaine, il est probable (si on a pris rendez-vous et qu'on arrive à l'heure) que Jérôme ne se permettra plus de vous faire perdre votre temps. Si, nonobstant les premières représailles, il s'obstine à ne pas respecter les délais, il reste encore un recours : changer de coiffeur.

S'il faut se montrer capable de sanctionner l'erreur avec fermeté, il est non moins évident que la réussite exige une manifestation immédiate de reconnaissance. Cette recommandation se révèle, en fin de compte, plus nécessaire pour les hommes que pour les femmes. Celles-ci sont très attentives aux réussites de leurs proches. Ceux-ci, en revanche, explosent volontiers pour sanctionner un échec et se montrent généralement avares de compliments pour couronner un succès. On ne saurait trop vivement recommander la pratique systématique, dans le cadre de la vie privée, de la louange. Elle est extrêmement économique et ne présente que des avantages, améliorant l'image de marque de celui qui la distribue et décuplant le rendement de celle qui la reçoit. Certains patrons, dans le monde des affaires, redoutent qu'une politique d'éloges excessifs ne finisse par entraîner des demandes d'augmentations. Dans le domaine privé, cette escalade étant improbable, le risque est presque nul.

Mais cette politique de participation ne suppose pas seulement des rapports humains et réfléchis, elle a besoin pour se développer harmonieusement d'un cadre cohérent. C'est-à-dire qu'elle doit reposer sur une prévision systématique et une planification rigoureuse.

CHAPITRE VII

LA PRÉVISION SYSTÉMATIQUE

« Nous avons trop de politesses à rendre, il faut que nous organisions au moins cinq dîners de huit à dix personnes dans les six mois à venir. »

Prononcée calmement mais fermement, un soir de tranquille intimité, cette phrase de mon mari m'avait laissée un moment désemparée. Pourtant je sentais venir depuis plusieurs semaines l'imminence de la catastrophe. Pour ne pas avoir à prendre des décisions immédiates, j'acquiesçai et demandai un délai de quelques jours pour élaborer une méthode aussi rationnelle qu'efficace. Il s'agissait de rassasier vingt couples affamés et de leur rendre la monnaie de leur « saumon fumé-canard à l'orange » ou de leur « quiche lorraine-jambon chaud à l'ananas ». A remarquer que la mode du sucré-salé ne cesse de faire des ravages dans les dîners en ville depuis quelques années. L'exotisme excuse bien des faiblesses, notamment celle des cuisinières portugaises. Huit jours plus tard, j'avais un plan. Je prévoyai cinq dîners, cinq semaines consécutives le mercredi soir, et j'expliquai ma stratégie.

Rien n'étant plus compliqué que de mettre sur pied, dans un foyer ordinaire, l'organisation d'un repas exceptionnel, je me faisais fort d'amortir sur cinq opérations un même investissement de temps et d'énergie. Je me proposai de servir un même menu accompagné des mêmes vins, servis dans les mêmes assiettes, suivi d'un même café et des mêmes alcools, et envisageai de terminer vers vingt-trois heures par un même jus de pamplemousse mélangé de jus d'ananas et relevé d'un jus de citron pressé frais. Ce ravissant cocktail est un de mes triomphes. Il donne plus ou moins le signal du départ et ravive en tout cas une fin de soirée un peu languissante. « C'est délicieux ! Qu'est-ce que c'est exactement ? Vous me donnerez les proportions ... » Il ne me reste plus qu'à sourire et à confier ma recette avec un air faussement modeste.

Les invités changeant chaque semaine, mon stratagème ne présenterait aucun inconvénient et me permettrait de :

— Commander d'un seul coup de téléphone au traiteur cinq vol-au-vent livrés ponctuellement à dix-neuf heures trente chaque mercredi. Le pâtissier faisant de même pour la glace ;

— Préciser au poissonnier en une seule visite qu'un saumon (surgelé bien sûr, mais qui peut dire la différence ?) serait le bienvenu vers dix-sept heures les mêmes jours ;

— Sélectionner une fois pour toutes, en accord avec le maître de maison, les vins les plus adéquats pour accompagner ces mets sans risquer de voir leur qualité se modifier, ni leur stock s'épuiser chez notre Nicolas du quartier ;

— Prévenir la cousine de la belle-sœur de ma concierge, qui a fort bonne allure en noir et qui a appris à servir dans une « grande maison ». Lui demander de me réserver tous ses mercredis dans les cinq semaines à venir. Elle pourrait ainsi prévenir de son côté la belle-mère de sa voisine qui se ferait un plaisir de venir garder son bébé ces mêmes soirs ;

— Vérifier une fois pour toutes l'état du matériel, verres, assiettes et plats, couverts à poisson. En cinq semaines, ils n'auront sans doute pas le temps de se dépareiller. Alors que, mystérieusement, un service d'apparat abandonné durant des mois dans un placard se détériore sournoisement, personne ne sachant d'ailleurs jamais à quel moment ce qui manque a bien pu disparaître ou se casser ;

*

— Taper une liste détaillée en cinq exemplaires, prévoyant les « accessoires » : des amandes pour l'apéritif à la petite serviette fraîche dans le cabinet de toilette. Personne ne va d'ailleurs jamais se laver les mains, mais on se sentirait déshonoré de ne pas y avoir pensé, si jamais un invité aventureux se risquait à en manifester le désir.

Il suffirait alors de reprendre chaque semaine la liste et de la « checker [1] ».

En exposant mon plan, je n'étais pas peu fière. Pour tout dire, je me sentais même assez géniale. Grâce à mon très remarquable sens de l'organisation, il ne manquerait pas, j'en étais sûre, le moindre petit pain sur la couture de chaque napperon. Je ne pouvais imaginer la paille qui oserait se glisser dans cet engrenage de précision.

Une poutre me tomba sur la tête à la fin du troisième dîner. A peine le dernier invité avait-il franchi le seuil en prononçant le rituel : « C'était charmant, chers amis, à très bientôt, on s'appelle », que mon mari explosa : « Tu me sers encore une seule fois un saumon précédé d'un vol-au-vent, et je deviens fou. Je refuse absolument, tu m'entends, ab-so-lu-ment ! de manger exactement le même dîner la semaine prochaine. Ton idée est démente ! Les invités changent peut-être, mais moi, je reste ! » Que l'on se rassure, mon plan de bataille fut tout de même exécuté. Avec un peu de charme

---

1. « Checker » consiste tout simplement à mettre une petite croix devant les tâches lorsque celles-ci sont accomplies.

et de diplomatie, j'obtins que les deux derniers
vol-au-vent remplissent leur mission. Je rempla-
çai simplement la garniture « financière » par
des filets de sole. Et j'évitai, cependant, dans
l'avenir, de rééditer mon expérience de la série
absolue.

Cette histoire prouve que si la planification
rationnelle présente de très gros avantages,
elle se heurte malgré tout, dans le cadre de
la vie privée comme dans l'univers professionnel, à des obstacles humains difficilement con-
trôlables qui surviennent le plus souvent à
l'improviste.

Loin de les pousser dans le sens du « laisser
faire et voir venir », les difficultés engendrées
par le système de prévision absolue devraient
encourager, au contraire, les dirigeants à dominer au maximum les données prévisibles d'un
problème pour être prêts à résister aux circonstances imprévues de la vie.

Une maîtresse de maison doit donc concevoir
et organiser son travail systématiquement. Elle
peut parfaitement reprendre à son compte le
conseil que donne Peter Drucker aux managers : « Il ne faut pas, leur explique-t-il, se laisser gouverner par ses fonctions mais les étudier

systématiquement, les mûrir et organiser son travail et son temps. » C'est le fond du problème. La plupart des femmes agissent beaucoup trop, elles ne réfléchissent pas assez. Je dirai même, au risque de me voir taxer de misogynie, que certaines de mes « sœurs » évitent de faire fonctionner leur cerveau en faisant travailler leurs mains. Elles se persuadent que leurs journées sont trop courtes avec la mauvaise bonne conscience des gens « débordés ».

Nous connaissons tous le comportement classique du cadre débordé qui, sentant venir le moment où une décision importante doit intervenir, se retranche derrière des tâches mineures mais immédiates pour différer le face-à-face avec un choix qui l'embarrasse. Nombreux sont ceux qui disent : « Je n'en sors pas », pour ne pas avoir à y entrer.

Je me suis moi-même livrée, il y a quelques années, à une enquête approfondie pour essayer de comprendre comment une femme qui vivait dans les mêmes conditions familiales et financières que les miennes, mais qui disposait en plus chaque jour des huit ou neuf heures que je passais au bureau, arriverait à me convaincre qu'elle ne disposait pas d'une seule minute de liberté. L'ayant longuement interrogée sur le planning détaillé de ses journées, j'ai pu constater que les raisons de sa suractivité. étaient relativement simples : elle ignorait complètement la réflexion préalable, s'acquittait de ses tâches dans l'ordre où elles se présentaient et leur consacrait un temps non défini à l'avance. Il lui était par conséquent tout à fait impossible de gagner du temps puisqu'elle ne savait même pas combien elle en dépensait.

Un vieux dicton populaire affirme : « Quand on n'a pas de tête, il faut avoir des jambes. » Ce proverbe a raison et les professeurs en organisation des plus grandes universités des Etats-Unis n'ont fait que redécouvrir et mettre en lumière cette sagesse populaire. *Time is money*, tout le monde le sait. Dans un univers où l'argent manque autant que le temps, la seule denrée non périssable dont chacun peut disposer en abondance est désormais la réflexion. C'est elle qui permet d'améliorer ses conditions de vie ou de travail. Le bon sens est peut-être la chose du monde la mieux partagée mais sûrement aussi la plus sous-employée. Les méthodes modernes de gestion parviennent à décupler le rendement d'une entreprise parce que chacun, à chaque poste, réfléchit et agit. La prévision systématique est le premier pas dans la voie de l'organisation. Cette prévision commence par le recensement des tâches auxquelles doit faire face le responsable.

J'ai assisté un jour à la projection d'un film d'enseignement du management conçu pour les écoles de recyclage des cadres américains. Un grand patron arrivait le matin à son bureau et se laissait immédiatement submerger. On voyait le malheureux homme-orchestre répondre au téléphone en discutant avec ses principaux chefs de service, signer son courrier tout en dictant une note à sa secrétaire, interrompre une conférence pour regarder un projet de bureau d'études et terminer sa journée, épuisé, en emportant chez lui les dossiers importants qu'il n'avait même pas eu le temps d'ouvrir depuis le matin.

La caricature était poussée à des fins pédagogiques, mais à peine. Nous avons tous rencontré un de ces P.-D.G. insaisissables, disparaissant sous des monceaux de lettres en attente et de notes non lues, qui passent leur semaine à courir après une demi-heure éternellement fuyante, à pester contre leur emploi du temps désespérément surchargé, à rajuster sur leur front pâle l'auréole du martyr surmené.

A la fin du film, un conseiller en management venait critiquer très intelligemment ce style de comportement. « Vous ne managez pas votre propre travail, reprocha-t-il au P.-D.G. en question. Vous êtes le premier à montrer le mauvais exemple à vos employés. Je vais vous donner un truc très simple. Pendant quinze jours, vous allez demander à votre secrétaire de noter précisément tout ce que vous faites dans une journée avec le temps que vous y consacrez. Vous serez étonné de voir que la moitié des tâches que vous accomplissez ne sont pas exécutées au moment propice. Mieux, vous réaliserez que si vous aviez pris la peine d'écouter vos collaborateurs au lieu de faire semblant de les entendre, si vous aviez pris la peine de *réfléchir*, la plupart des événements que vous qualifiez d'imprévisibles vous seraient apparus prévisibles et... évitables. Vous serez surtout surpris de constater que certaines choses qui n'ont qu'une importance relative pour la bonne marche de votre entreprise dévorent votre vie, alors que vous prenez parfois des décisions essentielles en quelques minutes. Ce n'est pas à moi mais à vous d'organiser votre existence. Vous êtes seul juge. A vous d'évaluer les obligations que vous avez à remplir, à vous de détecter lucidement les erreurs que vous commettez. Je sais, les bons conseils sont faciles à donner, mais ils ne valent pas la plus petite des bonnes résolutions individuelles. »

Ce film m'a beaucoup frappée. Il mettait le doigt sur un des problèmes primordiaux de la vie quotidienne : la plupart des gens vivent dans l'improvisation et ne s'astreignent pas à appliquer à la maison des méthodes qui leur paraissent évidentes dans le cadre de leur vie professionnelle.

Il est impossible, par exemple, d'imaginer un homme d'affaires sans agenda, et totalement exclu de concevoir un écolier ou un étudiant sans emploi du temps ni cahier de textes. Chacun reconnaît qu'il ne doit pas faire entièrement confiance à sa mémoire et qu'il serait d'ailleurs tout à fait inutile d'encombrer son cerveau avec des détails aussi accessoires. Tandis que les hommes responsables multiplient les pense-bêtes et les notes, la majorité des femmes continuent à élaborer leur vie empiriquement sans avoir recours aux piliers essentiels de l'organisation moderne : un papier et un crayon.

Il n'y a qu'un seul domaine où les femmes ne se conduisent plus tout à fait en analphabètes : celui des commissions. Encore s'agit-il la plupart du temps des simples emplettes alimentaires du matin, et non du shopping plus élaboré qui s'effectue l'après-midi. On en arrive ainsi à une situation aberrante : la boîte d'allumettes manquante, le paquet de lessive défaillant, le café finissant sont surveillés ; on consigne soigneusement leur état sur une liste, mais on oublie de passer chercher à la banque de l'argent pour le week-end ; on omet de faire le plein d'essence.

Il est tout de même beaucoup plus énervant de tomber en panne dans un embouteillage que de laisser son armoire à provision provisoirement démunie de thon à l'huile. Pourtant, dans l'état actuel des mœurs, le thon a deux fois plus de chances d'être programmé que l'essence.

Le soir, en s'endormant, les femmes dressent passivement le bilan de tout ce qu'elles n'ont pu faire pendant la journée. Ne devraient-elles pas plutôt le matin établir un programme précis ? Une maîtresse de maison peut complètement transformer sa vie si elle consent à se réveiller un quart d'heure plus tôt ; si elle prend le temps de s'asseoir à une table ou dans son lit et de réfléchir aux problèmes qui se poseront dans les jours à venir. Il ne suffit d'ailleurs pas de réfléchir, encore faut-il se munir de ces simples armes que sont du papier et un crayon ; et inscrire précisément obligations ou rendez-vous pour être sûr de ne rien oublier et vérifier que les différents projets sont compatibles.

Un agenda familial où seraient consignées les futures activités de tous les membres de la tribu éviterait les erreurs de planification. On serait ainsi amené à prévoir un dîner rapide le jour où l'on va chez le coiffeur. On éviterait de ramener un enfant de la campagne à onze heures du soir la veille de sa composition de maths. On n'accepterait pas d'aller au théâtre avec des copains le lendemain du jour où on vaccine un bébé, le bébé en question risquant fort d'avoir de la fièvre et la soirée ayant toutes les chances d'être gâchée, si ce n'est décommandée.

Les exemples sont trop nombreux, il serait fastidieux de les énumérer. Une seule chose est certaine : tout doit être *écrit*. Seul le rapprochement graphique de deux faits permet une approche globale. Les bonnes intentions s'envolent, les écrits restent.

Il devient d'ailleurs de plus en plus difficile d'établir un planning de la vie quotidienne. Comme dans les entreprises industrielles, la diversification des activités et la multiplication des intermédiaires allongent constamment les délais entre la conception et la réalisation d'un projet. Une famille qui décide de partir aux sports d'hiver à Noël doit désormais louer ses couchettes avant le 20 septembre, réserver un appartement ou retenir une chambre d'hôtel au plus tard le 15 octobre, et, si elle veut être sûre de trouver les tailles et les coloris désirés, ne pas dépasser le cap du 1er décembre pour les achats vestimentaires dans les grands magasins. C'est absurde, mais c'est ainsi. Et ceux qui refusent de respecter ces délais savent bien qu'ils paieront cher ce manque d'organisation.

L'insouciance devient, dans la deuxième partie du xxe siècle, un luxe réservé à une petite élite de gens très fortunés. Dans une société de consommation, la fantaisie se paie comptant. Pour voyager, il faut pouvoir payer des places en première quand il n'y en a plus en seconde et des chambres dans des hôtels de luxe lorsque les clubs de vacances affichent « complet ». A Prisunic, les stocks de maillots de bains sont épuisés à la fin du mois de mai, alors qu'une tenue de plage dans une boutique de grand couturier peut s'acheter (cher) jusqu'à la veille du départ.

Dans quelques années, sans doute, cette petite frange de luxueux aura également disparu, l'échelle sociale ne sera plus qu'un gros escabeau à deux ou trois marches et la vie personnelle deviendra encore plus compliquée à organiser.

La prévision, fort utile à court terme, se révèle donc encore plus indispensable à longue échéance. L'exemple des vacances est évident, mais dans le secteur administratif, hélas ! en pleine expansion, les délais ont aussi une fâcheuse propension à s'allonger. Inscription sur des listes électorales, déclarations de maternité ou demandes de cures à la Sécurité sociale, inscription des enfants dans les écoles publiques ou privées, renouvellement d'un passeport ou d'une carte d'identité peuvent et doivent être prévus en temps utile pour éviter que la machine ne se grippe irrémédiablement.

Dans des cas de ce genre, en effet, l'argent ne peut même pas venir au secours des imprévoyants. Nul potentat ne saurait faire verser une prime à une future maman si elle a attendu plus de trois mois pour faire sa déclaration. Et seul le préfet de police pourra procurer un passeport en une matinée à un voyageur insouciant subitement contraint de partir à l'improviste (en dépit de ce que l'on dit, tout le monde ne connaît pas intimement le préfet de police).

Pour éviter ce genre d'aléas, nous répéterons, au risque de radoter, qu'il n'existe qu'une seule méthode : *réfléchir pour prévoir*. Cette planification à long terme doit se faire calendrier en main. Il est alors relativement facile de consigner *par écrit* les différents problèmes et de les placer en regard des dates d'exécution.

Les dates d'exécution se calculent en adoptant le système du compte à rebours. A partir d'une échéance précise et de délais relativement faciles à calculer, il suffit de remonter dans le temps pour savoir à quel moment il convient de se préoccuper d'un problème.

Ainsi, le mariage de la cousine Brigitte étant fixé au jour X, un bon planning prévisionnel indiquera :

X moins un mois : obtenir de son chef de service l'autorisation de s'absenter à la date X pour « raison de famille ».

X moins trois semaines : téléphoner pour savoir s'il y a une liste de cadeaux déposée par les jeunes mariés dans un magasin. Décider avec son mari de la somme à consacrer. Aller très vite, avec une carte de visite, choisir la lampe, le tête-à-tête, le service de verres (il faut toujours envoyer un cadeau de mariage très à l'avance ; pour la même dépense, il fait deux fois plus plaisir à ceux qui le reçoivent : ils ne sont pas encore blasés par l'accumulation de présents).

X moins quinze jours : s'occuper de sa robe ou de celles de ses filles pour prévoir tranquillement le temps nécessaire aux retouches. S'occuper également des billets de train si le mariage a lieu en province.

X moins dix jours : prévenir par une lettre le professeur des enfants qu'ils manqueront une journée. Il est toujours préférable de se manifester avant qu'après si l'absence est prévisible. Sinon on semble avoir fabriqué à posteriori une fausse excuse, et l'enfant est placé inutilement dans une situation désagréable.

X moins huit jours : vérifier que l'ensemble des vêtements du mari est en bon état. Faire en sorte que le costume qu'il a décidé de mettre ne soit pas justement chez le teinturier ce jour-là. Cette vérification du vestiaire est à recommander chaque fois qu'il se produit un événement un peu exceptionnel, les erreurs de programmation dans ce domaine étant génératrices d'incidents superficiels mais violents.

X moins cinq jours : acheter au dernier moment les chaussures habillées pour les enfants. Si on les acquiert trop tôt, les mocassins ou les Charles-X seront inévitablement baptisés dans les cours de récréation.

X moins un jour : aller chez le coiffeur. Il serait imprudent d'espérer deux heures de tranquillité le jour même. Enfants énervés, mari qui n'aura pu éviter une conférence au bureau le matin et qui aura besoin d'une habilleuse pour se changer à la toute dernière minute, etc.

Conjuguée ou non avec l'emploi d'un échéancier annuel, qui répertorie les obligations mois par mois, cette méthode du compte à rebours ne mène pas seulement à une planification rigoureuse, elle permet également de se rendre compte si les prévisions sont réalistes.

En remettant chaque projet à sa place, on s'aperçoit souvent qu'il vaut mieux en différer une partie, faute de temps disponible ou de possibilités financières. A condition, évidemment, de faire preuve dans ses évaluations de la plus grande rigueur et du réalisme le plus honnête.

Mais un bon chef d'entreprise ne doit pas se contenter de prévoir et de planifier. Il doit ensuite s'atteler à la réalisation de ses projets. Il va donc s'efforcer de concevoir les méthodes les plus efficaces pour transformer les intentions en actions.

CHAPITRE VIII

L'ORGANISATION MÉTHODIQUE

Nous avons déjà constaté qu'en matière de participation le management avait beaucoup de points communs avec les méthodes nouvelles d'éducation. Sur le plan de l'organisation, la ressemblance est encore plus frappante. L'organisation méthodique est cousine germaine des mathématiques modernes, qui commencent à être enseignées dans les petites classes de certaines écoles d'avant-garde.

En quoi consiste cette nouvelle manière d'enseigner les mathématiques ? On s'efforce essentiellement de ne plus imposer de lois aux enfants mais de les laisser les expérimenter eux-mêmes. On les habitue très tôt à établir des rapports entre les nombres, les formes, les masses et les couleurs en les groupant par catégories diversifiées. C'est la fameuse théorie des ensembles. Beaucoup plus ouverte dans ses conclusions que les lois arithmétiques enseignées dès le plus jeune âge et qui ont formé des générations résignées de « nuls-en-maths ».

Ainsi un enfant, en plaçant lui-même bout à bout trois petits bâtons rouges qui s'appellent « deux », comprend que l'ensemble des trois petits bâtons rouges est plus grand qu'un bâton vert qui s'appelle « cinq », égal à un bâton bleu qui s'appelle « six » et plus petit qu'un bâton marron qui s'appelle « sept ». Il peut également concevoir qu'un bâton vert plus un bâton rouge ne peuvent jamais avoir la même taille qu'un bâton rouge. Avalant les simples additions ou soustractions, il en arrive ainsi à assimiler des lois beaucoup plus élaborées : celle qui veut par exemple qu'un chiffre impair ajouté à un chiffre pair ne puisse jamais égaler un chiffre pair. Ces conclusions forcées de sa propre expérimentation deviennent pour l'enfant des vérités évidentes, familières, au lieu de demeurer des règles abstraites édictées par un dictateur : le maître.

Le grand secret des mathématiques modernes est simple : l'important n'est pas de savoir mais de comprendre, l'esprit mathématique n'est pas la science de la manipulation des nombres, mais l'éveil à une capacité de raisonnement.

Tous les manuels de management reposent, en matière d'organisation, sur le même concept. I! serait absurde, constatent-ils, d'essayer de promulguer des lois rigides valables pour toutes les entreprises ; aucune règle infaillible ne conviendra à la fois à une usine d'automobiles et à une conserverie de sardines. Le rôle d'un bon manager ne consiste en aucun cas à imposer des plans de travail préétablis, même s'ils ont fait leurs preuves ailleurs, mais à concevoir une méthode propre à l'entreprise dans laquelle il travaille, en tenant compte des impératifs particuliers.

La démarche est strictement identique dans le cadre de la vie personnelle. La diversité des conditions de vie rend presque impossible l'énoncé d'un code de l'organisation domestique. Rien ne me paraît plus absurde que les conseils impératifs prodigués par certains livres pratiques. « Faites votre ménage le matin juste avant votre marché », par exemple. Cet axiome peut être respecté par une citadine se levant de bonne heure, habitant une rue commerçante, ne travaillant pas à l'extérieur et mère d'enfants lycéens. Il est totalement inadapté au cas d'une femme sans enfants, travaillant à l'extérieur ainsi que son mari, et qui trouvera infiniment plus commode de faire ses courses l'après-midi en sortant du bureau.

D'autres équations personnelles sont plus difficiles à résoudre. Une jeune mère a deux enfants de trois et six ans. Un centre commercial se trouve à proximité de l'école maternelle où elle va conduire sa progéniture le matin et la rechercher à midi. Elle seule devra déterminer l'horaire de ses courses. Elle a le choix :

8 h 30, sur le chemin du retour : elle risque alors d'acheter des salades défraîchies ou un chou-fleur de la veille, beaucoup de commerçants n'ayant pas encore mis en place leur marchandise à une heure aussi matinale.

11 heures, en allant rechercher les enfants à l'école : elle est sûre dans ce cas d'effectuer le parcours cabas à bout de bras et de ne pouvoir donner la main aux petits pour traverser la rue.

Toutes les données du problème devront être

étudiées avant la prise de décision, distances, tempérament des enfants, fatigue, menus, etc.

L'important en matière d'organisation n'est donc pas de se conformer à des mots d'ordre mais de rechercher, dans la gamme des solutions existantes, celle qui épouse le mieux ses besoins et ses désirs.

Mais s'il n'existe pas de comportements infaillibles, il existe, en revanche, une méthodologie rigoureuse pour arriver à mettre en lumière les solutions les plus favorables. Deux démarches essentielles ont ainsi été mises au point par les spécialistes du management : établir une hiérarchie des urgences et décomposer chaque action. Voyons ce que représentent pratiquement ces notions un peu abstraites :

Etablir une hiérarchie

La prévision permet de programmer toutes les activités nécessaires au bon fonctionnement d'une entreprise. Bien. Mais si au stade de la prévision il ne s'agit que d'établir une liste non différenciée, au stade de l'organisation, il faut, en revanche, classer cette liste par ordre de priorité et d'importance. Il faut également établir la hiérarchie d'influence de chaque activité selon qu'elle se retrouve plus ou moins fréquemment dans l'emploi du temps. On parvient ainsi à définir trois grandes catégories d'activités qui appellent chacune une méthode différente d'approche :

1. *Les actions fréquentes et sans grande importance :* elles sont légions. On a souvent tort de les sous-estimer, elles sont génératrices de frictions fréquentes... et importantes. Le secteur « rangement » relève de cette définition. Il n'est pas essentiel, en effet, de réunir un conseil de famille pour décider si le flacon d'eau de Cologne doit trôner à droite du rayon supérieur de l'armoire de toilette, et la crème à raser à gauche du même rayon de la même armoire. Il n'est pas non plus capital de convoquer une conférence au sommet pour informer la maisonnée que désormais les verres à apéritif, primitivement alignés sur la troisième

planche du placard de la salle de séjour, ont émigré sur la deuxième (planche).

Mais ces objets de première nécessité (crème à raser, verres à apéritif) étant manipulés de très nombreuses fois, il est indispensable de définir une politique de rangement rigoureuse et de la respecter. Rien ne perturbe plus l'harmonie reposante des réflexes conditionnés que cette manie perfectionniste qui pousse à changer perpétuellement la place des choses. Toute activité à répétition doit entraîner la mise au point d'une organisation automatique que l'on s'efforcera de bouleverser le moins possible.

J'ai expérimenté moi-même l'utilité de ces automatismes qui adoucissent les ravages de la petite mécanique quotidienne. Je lis un jour, dans un magazine féminin, qu'il est plus logique de répartir le linge de maison dans les différents placards de l'appartement que de le grouper dans l'unique armoire à linge héritée de nos grand-mères. Je décide aussitôt d'appliquer cette méthode. Je cantonne serviettes et peignoirs de bain dans la salle de bain, remise les nappes dans la salle à manger et les torchons dans la cuisine, et, la conscience en paix, j'attends. Pas longtemps. Mon initiative

ne tarde pas à déclencher une série de catastrophes en chaîne. J'oublie le lendemain de
déposer un essuie-main dans le cabinet de toilette. Mon mari, doigts humides, se dirige vers
l'armoire à linge, l'ouvre, y trouve de la vaisselle, peste. Deux jours plus tard, je dépose
précisément (et instinctivement) la bassine à
friture à sa place dans la cuisine... à côté d'une
pile de torchons propres. Résultat prévisible.
Le lendemain, la femme de ménage innocente
range tout le linge rentrant de chez le blan-
chisseur dans l'armoire dorénavant délaissée.
Elle omet de me prévenir. Le soir, j'avais de la
famille à dîner et fus incapable de trouver la
nappe que je cherchais, etc. Quinze jours ne
s'étaient pas écoulés depuis le début de l'expérience que je revenais à mes bonnes vieilles
habitudes. Tout rentra dans l'ordre, et dans
l'armoire à linge.

La passion du rangement, commune à beaucoup de femmes, n'est donc pas une vertu si
elle tend à bouleverser un ordre même discu-
table mais accepté. Avant de modifier sa vitrine
ou l'emplacement de ses rayons, un commerçant doit savoir que l'agencement de son magasin fait partie intégrante des habitudes de sa

clientèle et se poser la question de savoir si ces habitudes accepteront d'être bousculées.

En revanche, s'il est néfaste de perturber le rythme des activités peu importantes et fréquentes, il est nécessaire de bien les concevoir au moment où elles se posent pour la première fois. Au moment d'un déménagement, par exemple, ou d'une installation à la campagne, les problèmes de rangement doivent être pensés avec rigueur et résolus avec vigueur. On est étonné de visiter des maisons où l'annuaire ne se trouve pas à côté du téléphone, et où le paquet de café n'est pas dans le même placard que le moulin ! Mais, après tout, l'ordre est une notion individuelle, et le management nous apprend que chacun doit chercher son ordre à lui, comme on recherche son gourou.

2. *Les actions assez fréquentes et relativement importantes :* toujours recommencées mais jamais strictement identiques, on ne peut pas les régler par de simples automatismes. Le type de cette action nécessitant la mise au point de normes de référence est l'établissement d'un menu. Problème d'une obsédante récurrence, il ne vaut cependant pas qu'on le

règle une fois pour toutes. Le système apparemment rationnel qui consiste à servir du poulet tous les lundis, du bifteck haché tous les mardis, des pâtes tous les mercredis, etc., fonctionne en effet relativement bien avec les enfants de moins de quinze ans, parfaitement mal avec les aînés et leur père. Le système inverse qui impose de consacrer des heures de réflexion hebdomadaire à l'élaboration des menus n'est pas plus recommandable. Il est pourtant à l'honneur, à en juger par le nombre de recettes publiées chaque année dans les journaux et au tirage astronomique (et gastronomique) atteint par tous les livres de cuisine.

Comment appliquer à l'activité « menu » une méthode de normes rationnelles ? Une fois de plus, chacune doit s'efforcer de trouver la méthode la mieux adaptée à son cas particulier. Voici cependant deux exemples qui me paraissent assez intéressants. Une jeune femme de mes amies s'était astreinte à taper à la machine une longue liste des plats que son mari, très difficile à satisfaire sur le plan alimentaire, consentait à apprécier. Cette liste de deux cents plats environ était classée : entrées, viandes, poissons, desserts, etc. « Vous comprenez,

m'expliqua-t-elle, s'il fallait que je me sou-
vienne de tout, je perdrais au moins dix minutes chaque matin. Grâce à ces suggestions,
j'évite des erreurs et je peux varier suffisamment. »

Autre exemple de méthode simplificatrice,
mais qui laisse cependant une part d'initiative
en mission de repérage ; une excellente femme
d'intérieur moins jeune et moins à l'aise financièrement que la première me l'expliqua un
jour. « Je tiens, dit-elle, à profiter des prix les
plus intéressants car mon budget alimentation
est relativement serré. Si je pars au marché
sans idée préconçue, j'achète souvent mal. J'hésite entre plusieurs solutions. Comme les cours
ne varient pas sensiblement d'un jour à l'autre, j'ai pris l'habitude de noter en faisant mes
courses les prix qui me paraissent intéressants
avec l'intention d'en profiter le lendemain. Je
compose mon menu par écrit en rentrant pour
ne pas risquer d'oublier et suis tout heureuse
de retrouver mes prévisions le matin suivant
avant de partir. Je suis sûre que j'économise
ainsi beaucoup d'argent et de temps. »

Pour domestiquer les actions fréquentes et
relativement importantes, il faut donc s'effor-

cer de définir un cadre aux problèmes particuliers posés par les conditions de travail à
l'intérieur de l'entreprise.

3. *Les actions peu fréquentes et très importantes :* dans le domaine du management, ces
activités ressortissent du dirigeant. Elles retien-
nent donc particulièrement l'attention des spécialistes. En effet, un directeur devrait — en
bon manager qu'il est supposé être — se déta-
cher des tâches moins essentielles sur ses
adjoints, pour concentrer toute son énergie sur
les opérations exceptionnelles, demandant la
mise au point d'une procédure spécifique.

Nous avons déjà étudié comment doivent
être abordés les problèmes concernant les prises de décision et la politique de l'entreprise.
Il nous reste à indiquer les méthodes d'organisation pratique de ces activités exceptionnelles.

Pour régler les questions importantes, beaucoup de ménages auraient intérêt à emprunter
au monde des affaires la technique du séminaire. A condition cependant de respecter la
règle des trois unités. Comme la tragédie classique, un bon séminaire doit, en effet, fixer un

lieu, déterminer une durée précise et définir clairement l'ordre du jour. Les entreprises qui peuvent se permettre de passer les séminaires en frais généraux choisissent généralement une salle de conférence dans un hôtel plus ou moins éloigné du centre des villes pour éviter que les participants ne soient perpétuellement dérangés par le téléphone et poursuivis par leurs préoccupations habituelles. La durée peut varier d'un après-midi à plusieurs jours ; et les différents points à discuter sont notifiés aux intéressés par écrit pour que chacun puisse réfléchir avant le début de la session et apporter avec lui tous les éléments (notes, rapports, statistiques, études et discours) qui aideront à clarifier le problème posé. Si la réunion est ainsi rigoureusement planifiée, elle se révèle en général extrêmement constructive et permet de faire progresser en peu de temps ce qui aurait demandé des semaines en période de travail normal.

Adaptons cette technique à un exemple caractéristique de la vie privée : l'organisation des vacances d'été d'une famille plus ou moins nombreuse.

Il faut d'abord fixer suffisamment à l'avance

une date et un lieu précis. Rien n'est plus inefficace que de s'exclamer subitement au milieu d'un dîner : « Tiens ! à propos, il faudrait qu'on s'occupe des vacances de cet été. Quelles sont tes dates ? » Le sujet dort ensuite pendant plusieurs semaines. On a faussement bonne conscience : « Puisque l'autre sait, pourquoi ne relance-t-il pas la conversation ? »

Non, mieux vaut choisir un moment relativement calme et long pour pouvoir discuter tranquillement des différents aspects de l'équation. On prévient par exemple son mari : « Il faudrait que nous réglions le problème des vacances de cet été, veux-tu que nous essayions d'en parler dimanche prochain après le dîner quand les enfants seront couchés ? »

Le laps de temps entre l'annonce du séminaire et la date de la discussion est consacré à réunir un maximum d'éléments utiles. Voici, à titre indicatif, une liste des renseignements à classer et à compléter avant d'envisager la prise de décision :

—· Date des vacances possibles pour le mari ;

—· Même chose pour la femme si elle travaille ;

— Date des congés scolaires des enfants (ils peuvent varier selon les écoles) ;

— Prospectus de clubs avec prix de revient par personne ;

— Prix de location des villas dans la station en Bretagne où « ça n'était pas mal du tout l'année dernière » ;

— Prix de location dans le Sud de l'Espagne parce que « ça ferait quand même plaisir de voir un peu de soleil après la pluie bretonne » ;

— Date à laquelle « maman pourrait éventuellement venir garder huit jours les petits pour que nous puissions prendre une semaine tous les deux en amoureux » ;

— Prix et date de départ pour les séjours en Angleterre ou en Allemagne des aînés ;

— Date des vacances de la femme de ménage ;

— Prix du train auto-couchettes pour la Bretagne, prix du train et de l'avion comparés pour le Sud de l'Espagne pour éviter de prendre la route meurtrière du mois d'août ;

— Date et prix de la croisière que font les Martin « qui aimeraient tellement que nous partions avec eux » (le prix de ladite croisière suffisant d'ailleurs à éliminer d'elle-même cette hypothèse au cours du séminaire. Mais tout bon séminaire doit comporter une part de rêve) ;

— Possibilité financière envisagée pour l'ensemble de ces différents déplacements.

Ainsi, minutieusement préparée, une réunion permet de régler en une heure un problème aux multiples données, qui aurait pu entraîner des discussions de plusieurs semaines, voire de plusieurs mois. Dans l'exemple choisi, on arrivera dans la majorité des cas à la conclusion que la Bretagne, en voiture, représente la solution la plus simple et la plus économique, et qu'il vaut mieux différer jusqu'à Pâques (ou jusqu'à la Trinité) le petit voyage en amoureux. Parfois, cependant, l'Espagne l'emportera sur la raison. Les coups de folie font aussi leur apparition dans les séminaires les plus sérieux. Heureusement.

Une fois réalisée l'importance des activités exceptionnelles et en avoir évalué la fréquence, il faut essayer d'analyser tous les éléments qui permettent de pousser l'organisation à son point optimum.

Décomposer chaque action

Un de mes amis me téléphone, à la veille de Noël, pour me demander un conseil. Sa voix est embarrassée. Voilà : il veut offrir un manteau de fourrure à sa femme. Je le félicite de sa générosité. Il poursuit : « Je ne m'occupe jamais de ces choses-là. Je ne connais pas sa taille. Je suis sûr qu'elle sera obligée d'aller le changer, aidez-moi ! » Touchée, je suggérai à mon scrupuleux ami d'emporter discrètement avec lui un imperméable ou un manteau appartenant à son épouse. Le fourreur, ayant un modèle, évitera ainsi toute erreur. « Formidable ! s'exclama-t-il ; formidable ! je n'y avais pas pensé. » De la part d'un homme la chose est pardonnable, mais combien de femmes passent ainsi à côté de l'œuf de Christophe Colomb par défaut d'imagination méthodologique.

Les commerçants se déclarent souvent stupéfaits par le manque d'organisation foncière que manifestent une partie de leurs clientes. Celles-ci, constatent-ils, se jettent dans l'action avant même de savoir où cette dernière doit les mener. On en vient à les soupçonner de perdre du temps volontairement — ou, plus exactement, inconsciemment — de peur de ne pas savoir employer leurs heures excédentaires... Même les femmes très occupées gâchent souvent une grande partie de leur capital-temps en ne respectant pas la règle du déroulement logique de leur tâche. Cette règle très simple consiste à commencer par le commencement, à continuer par le milieu et à finir par la fin. Cette lapalissade recouvre beaucoup de détails importants, comme le prouvent quelques exemples :

Problème posé : se faire délivrer une nouvelle carte d'identité.

Comment procéder ? Ceux qui répondront à cette question : « Aller me renseigner au commissariat de police », commettent une grave erreur de management. Le commissariat de police est l'aboutissement final du processus, une fois franchies toutes les étapes préliminaires. Le processus démarre sur un coup de téléphone qui indiquera les diverses pièces nécessaires. Deuxième étape : une lettre à la mairie pour solliciter l'extrait d'acte de naissance. Troisième étape : les photos d'identité, etc.

Problème posé : aller choisir un tissu pour remplacer les rideaux du salon.

Comment procéder ? Toutes celles qui répondront à cette question : « Aller faire un tour dans un magasin de tissu d'ameublement » commettent une erreur grave de management. Il faut d'abord :

— Téléphoner au tapissier pour savoir s'il a du temps à vous consacrer ;

— Lui demander combien il prendra de façon ;

— S'assurer qu'on dispose des crédits suffi-
sants ;

— L'appeler pour lui demander de passer et
de fixer le métrage nécessaire ;

— Lui retéléphoner parce qu'il ne sera pas
venu ;

— Le prier d'accepter de travailler à façon
sans fournir le tissu lui-même ;

— S'il refuse, trouver un autre tapissier ;

— Si le premier tapissier accepte, se rendre
enfin dans un magasin de tissu une fois le
métrage connu ;

— Ne pas oublier d'emporter un coussin du
divan pour être sûre de choisir la couleur
idoine ;

— Enfin, faire livrer le tissu directement chez
le tapissier au lieu de l'emporter avec soi,
« pour le montrer à son mari ». L'intention

est aimable, mais le déplacement supplémentaire qui en résulte, superflu.

Le hasard n'est pour rien dans le fait que le téléphone soit intervenu deux fois dans les exemples choisis comme l'instrument tutélaire. Cette admirable invention du xxe siècle transforme la vie de ceux qui s'en rendent maître. Il est cependant fort mal utilisé dans la vie pratique individuelle. La France est dramatiquement sous-équipée : c'est la faute de l'Etat. Il n'exploite pas, ou mal, les installations existantes. Les citoyens en sont responsables. Eux et leur méfiance archaïque vis-à-vis du téléphone. « Les paroles passent, les écrits restent » demeure un dicton solidement enraciné dans nos mœurs. Le pauvre combiné noir représente encore un instrument de relations publiques destiné à communiquer les états d'âmes affectifs, les bulletins de santé et les bavardages d'amitié, alors que son cousin américain aux couleurs gaies a depuis longtemps acquis ses quartiers de noblesse. C'est là-bas un outil de travail essentiel pour les managers modernes. Pas chez nous. Pourtant, dans le cadre des activités quotidiennes, une des premières questions à se poser dans le déroulement chronologique d'une action devrait être : quel coup de téléphone puis-je donner qui me permettra de gagner du temps ?

Tous les services administratifs, par exemple, disposent de centres de renseignements téléphoniques organisés, quoi que puissent en dire les derniers chansonniers. Ceux de la Sécurité sociale, en particulier, sont souvent fort précis, et leurs employés aimables peuvent éviter une série de démarches inutiles.

Pour apprendre à se servir du téléphone, il faut en premier lieu admettre qu'*on ne dérange pas* un commerçant ou un fonctionnaire en composant son numéro sur un cadran. En vous répondant, il se contente de faire son travail. On objectera que la voix revêche de la majorité des caissières de cinéma n'encourage guère à s'enquérir de l'horaire de la prochaine séance. Tant pis pour la caissière. Le fait qu'elle fasse mal son métier ne doit pas vous empêcher de bien organiser votre vie.

Dans un précis de management individuel, j'ai relevé un jour la liste des avantages que procure à un dirigeant d'entreprise une bonne organisation de ses activités. Elle ne constitue pas seulement un inventaire des bienfaits prévisibles, elle représente en elle-même un programme de réflexion utile à consulter chaque fois qu'une situation nouvelle apparaît.

Un homme (ou une femme) bien organisé peut :

— Faire plus de choses ;

— Les faire mieux ;

— Finir chaque chose en son temps ;

— Choisir le moment le plus propice à l'exécution de diverses tâches ;

— Eliminer au maximum précipitation, soucis et fatigue ;

— Prévoir en temps voulu ce qu'il va avoir à faire ;

— Mesurer facilement les progrès accomplis ;

— Gagner du temps.

Il n'est vraiment pas besoin d'être P.-D.G.
pour comprendre les attraits d'un tel programme. Qui n'y souscrirait d'emblée ?

CHAPITRE IX

LA GESTION PRÉVISIONNELLE

Nos grand-mères notaient chaque jour leurs comptes sur un gros carnet de toile noire. Nos mères ont appris à répartir leurs dépenses mensuelles (alimentation, loyer, gaz et électricité, habillement, etc.) dans des enveloppes blanches. A l'aide de chèques roses ou ocres, les jeunes femmes d'aujourd'hui doivent s'efforcer de planifier leur budget sur des bases trimestrielles et parfois même annuelles.

Les couleurs sont plus gaies, mais les problèmes plus compliqués. Le niveau de vie augmente, nos obligations aussi et se diversifient dans le temps. On paie son pain chaque jour, son vin toutes les semaines, son loyer tous les trimestres, ses impôts tous les quatre mois, ses assurances tous les ans ; la voiture pendant deux ans et, souvent, son appartement ou sa maison en quinze ou vingt ans.

Les générations précédentes se privaient pour ne pas devoir de l'argent ; aujourd'hui, nous nous restreignons pour rembourser l'argent que nous devons.

En supprimant la hantise des dettes honteuses, en la remplaçant par le recours au crédit organisé, la société dite « de consommation » contraint les individus à prendre des responsabilités financières à long terme et à passer dans l'organisation de leur budget du stade de la comptabilité à celui de la gestion.

Qu'est-ce que la gestion ? C'est le veau d'or du monde d'aujourd'hui. Les jeunes turcs de l'industrie de demain ne jurent que par la gestion. La gestion est une panacée, un coffre-fort où s'accumulent tous les secrets de la réussite économique et technologique des Etats-Unis. Une mauvaise gestion pour les économistes et les hommes politiques est responsable de tous les retards de la vieille Europe. Malheur à celui qui sera traité de « piètre gestionnaire » ! Son avenir est derrière lui. A moins qu'il ne soit poète !

Mais oublions les poètes et revenons à la gestion. De nombreux livres ont été écrits sur la question et il est assez difficile de résumer en quelques lignes une science que les écoles et les universités commerciales mettent plusieurs années à enseigner. Laissant de côté des notions aussi subtiles que le *cash-flow* ou le P.P.B.S. [1], on peut cependant, sans trahir les lois sacrées du management, avancer une définition valable dans la vie privée : la gestion est une méthode qui consiste en matière financière :

1. A établir un budget précis et honnête : c'est-à-dire à essayer de dresser une liste des différents postes de dépenses en cherchant le plus lucidement possible à comprendre : « Où peut bien passer tout l'argent que nous dépensons ? » et : « Comment allons-nous faire pour nous en sortir l'année prochaine ? »

2. A choisir des objectifs cohérents : c'est-à-dire décider, d'un commun accord, de « ce

---

1. *Cash-flow :* bénéfices nets de l'exercice d'une société, après impôt, plus les amortissements.
P.P.B.S. : *Planning Programming Budgeting System.*
L'auteur précise qu'elle n'estime pas que ces notions doivent être appliquées dans le cadre d'un foyer domestique et qu'il n'est pas de son ressort de se hasarder sur les sentiers de la haute gestion industrielle.

qu'on peut se permettre » et de ce qui « ne serait vraiment pas raisonnable », en fonction de *toutes* les ressources dont on dispose (cette notion de participation de chacun à l'effort commun est essentielle en matière de budgétisation).

3. A assumer les responsabilités budgétaires : c'est-à-dire à s'efforcer de respecter à titre individuel les décisions prises en cherchant même à améliorer les objectifs.

On retrouve donc, une fois de plus, les trois règles d'or du management : rigueur de l'information, nécessité de la participation et sens des responsabilités.

Un budget
précis et honnête

Demandez à une femme combien elle dépense par mois si elle va chez le coiffeur chaque semaine. Si le shampooing mise en plis coûte

15 F, elle comptera rapidement sur ses doigts et répondra : « Soixante francs environ. » Elle mentira, bien sûr ! cette somme de 60 F ne représentent en fait que la moitié à peine de son budget coiffure. Elle aura oublié de compter en effet :

— Le produit qui fait tenir la mise en plis : 5 F environ ;

— La décoloration ou la teinture toutes les cinq semaines : 20 F ;

— La permanente tous les six mois : 30 F ;

— La manucure deux fois par mois : 10 F chaque fois ;

— Les différents pourboires : 5 F en moyenne (si l'on répartit hebdomadairement ceux que l'on donne occasionnellement à la shampooingneuse, à la jeune fille qui fait la permanente, etc.) ;

— La coupe une fois toutes les six semaines : 10 F.

Ce qui élève le budget coiffure à :

$$\frac{(15\times 48)+(5\times 48)+(20\times 10)+(30\times 2)+(10\times 20)+(5\times 48)+(10\times 8)}{12}$$

$$= \frac{1720}{12} = 143{,}333333333333333$$

Confrontées à ce chiffre de 143,33 F par mois, la plupart des femmes ouvriront des yeux agrandis, ronds et honnêtement horrifiés. Elles n'auraient jamais cru, mais vraiment jamais, que les soins de leur chevelure puissent revenir si cher. C'est là une des grandes découvertes du management financier. Les gens n'ont souvent aucune idée de ce que représentent vraiment les différents postes de leur budget. Et la confrontation avec la vérité met au jour des problèmes jusque-là à demi immergés, comme de gros icebergs de la réalité.

J'en ai fait moi-même l'expérience. Je dirigeais un secteur rédactionnel dans un hebdomadaire avec une relative insouciance financière, jusqu'au jour où je me vis confier également la responsabilité budgétaire. Je découvris alors une jungle de détails, une multitude de frais inconnus. Il a suffi que ma signature soit exigée au bas de chaque facture pour que je réfléchisse plus et mieux à la répartition des dépenses nécessaires au bon fonctionnement de mes services. Je m'aperçus, par exemple, qu'en raison des charges sociales et des frais fixes, il est souvent plus rentable d'employer des gens compétents en nombre limité, même si leurs honoraires ou leurs salaires sont beaucoup plus élevés, que de multiplier les postes à bas salaires et à rendement décevant. C'est pourtant la solution qu'adoptent, à tort, beaucoup de maîtresses de maison. Pour éviter de payer des gages confortables à une très compétente polyvalente, elles multiplient les petits coups de mains « avantageux ». Deux heures de femme de ménage par-ci, une matinée de concierge par-là, un laveur de carreaux toutes les semaines, la blanchisseuse à qui on donne le linge, un baby-sitter les soirs où l'on sort, une jeune fille au pair pour les grandes vacances, etc. Il ne s'agit pas de recommander, ici, l'un ou l'autre système, mais de conseiller d'évaluer systématiquement, sans rien omettre, le budget « aide ménagère ». On s'aperçoit vite que les petits ruisseaux quotidiens font les grandes rivières au bout du compte et au bout du mois.

Nous connaissons tous de ces cadres citadins qui ont mauvaise conscience de laisser leurs femmes banlieusardes sans voiture toute la journée. Ils ne parviennent pas pour autant à admettre de prendre le train pour se rendre à leur travail, et le métro ou les taxis pour se déplacer dans la journée, et justifient l'achat d'une deuxième voiture en décrétant que « la voiture, c'est forcément moins cher ». Cette affirmation se révèle, à l'examen, bien sujette à caution. Dans le prix de revient d'une automobile, il faut en effet compter non seulement l'essence consommée en fonction du kilométrage, mais aussi :

— L'amortissement du prix d'achat de la voiture, en tenant compte de la dépréciation du véhicule. On évalue, en général, cette perte à 22-25 p. 100 de la valeur la première année, à 15-20 p. 100 la deuxième, et ainsi de suite. C'est-à-dire qu'une voiture de 6 000 F perd 1 200 F au bout d'un an, 750 F au bout de deux ans, etc. ;

— La vignette et l'assurance : soit 1 200 F pour une six chevaux environ, étant bien entendu que l'assurance revient beaucoup plus cher si l'on se sert de sa voiture en ville tous les jours au lieu de ne la sortir que pendant les week-ends ;

— Le prix d'un parking sur le lieu de travail : de 150 à 200 F et, éventuellement, quelques heures de garage par-ci par-là, pour faire face à des rendez-vous urgents. De 1 à 3 F l'heure selon les quartiers. Les allergiques au parking doivent prévoir une cagnotte spéciale destinée aux contraventions (de plus en plus sévères et nombreuses) ;

— L'entretien de la voiture (vidange, graissage, pneus, lavage, réparation, etc.) ; On évalue ce prix à 0,9 F du kilomètre environ. Soit 900 F pour une voiture roulant 10 000 kilomètres dans l'année ;

— L'essence brûlée dans les embouteillages de huit heures du matin et de sept heures du soir à l'entrée et à la sortie de la ville.

Il n'est pas possible d'évaluer le prix de revient précis. Tout dépend du modèle de la voiture et des conditions de vie de chacun ; mais ces chiffres, dans leur simplicité et leur multiplicité, donnent à réfléchir.

Les exemples de vérité des prix sont légion. Ma mère m'a cité le cas d'une de ses amies qui s'est un jour rendu compte qu'elle dépensait, y compris le repas de midi et les cotisations à la Sécurité sociale, 35 F par jour pour faire raccommoder par une vieille couturière « en chambre » les chandails et pantalons de ses enfants. Ce prix représentait presque l'achat d'un chandail ou d'un blue-jean neuf *chaque jour*. Elle en a conclu qu'elle devait bien évidemment ou ravauder elle-même ou jeter les vêtements trop abîmés.

Ayant fait des comptes précis, j'ai moi-même constaté que les dîners à domicile coûtaient d'autant moins cher qu'on invitait plus de gens. On peut offrir de la charcuterie ou de la salade de lentilles accompagnées d'un beaujolais sympathique mais raisonnable à vingt copains qui acceptent de pique-niquer sur leurs genoux, qui se chargent du service et ne s'effarouchent pas devant des serviettes en papier. Si l'on propose le même menu à six personnes assises autour d'une table juponnée de blanc, les invités peuvent à juste titre vous accuser d'avarice ou de négligence. A ces six-là, il faut un vrai repas, une entrée, un plat chaud, des fromages, un dessert, des vins assortis. On m'objectera que tout le monde n'accepte pas de manger sur ses genoux. Eh bien, si ! A condition que l'atmosphère soit détendue, bien des gens « sérieux » apprécient de troquer pour un soir leur apparat familier contre le plat de lentilles de l'amitié.

A propos de lucidité financière, j'ai relevé dans un livre de gestion une théorie qui m'a paru particulièrement intéressante à retenir : celle des frais de gestion future.

Cette méthode, qui consiste à étudier les implications futures d'un investissement sur la marche générale de l'affaire, permet de prévoir ce qu'il faut conserver en période de crise, ce qu'il faut adapter aux circonstances, et ce qu'il faut rejeter même en période de hausse. Ainsi certaines dépenses qui paraissent déraisonnables sont en fait beaucoup moins dangereuses que d'autres qui semblent plus sages.

Prenons l'exemple d'un ménage disposant d'environ 3 000 F par mois et qui ferait subitement un héritage ou gagnerait à la Loterie nationale une somme de 5 000 F. Si, avec cet argent, il achète un petit bateau, il risque de mettre son budget sérieusement en péril. Un bateau représente un investissement fort agréable, bien sûr, mais qui entraîne de nombreux frais de gestion. Il faut le remiser en hiver, payer l'appontement en été, acheter une remorque pour le faire voyager derrière sa voiture (encore heureux s'il ne faut pas augmenter la puissance de la voiture !), payer une assurance, le repeindre régulièrement, changer les cordages, etc. Or, les revenus annuels du couple n'ont pas été augmentés par l'apport exceptionnel de l'héritage et il leur faudra rogner sérieusement sur leur budget habituel pour pouvoir débloquer les sommes nécessaires à la gestion de l'« investissement bateau ». Mieux vaudrait en fait acheter un bateau à crédit à l'occasion d'une augmentation de salaire en étant sûr de pouvoir intégrer les charges dans son nouveau train de vie. En revanche, si, avec les mêmes

5 000 F, le même couple achetait un meuble ancien, une lithographie originale ou un manteau de fourrure, toutes dépenses qui peuvent sembler à première vue beaucoup plus somptuaires, il ne ferait courir aucun risque grave à ses finances futures puisque ces achats n'entraînent pas de « frais d'entretien ».

Il faut toujours, nous enseignent les managers, qui sont gens fort raisonnables, s'efforcer d'équilibrer les moyens présents avec les conditions futures, dans l'avenir immédiat et dans l'avenir lointain. Ce qui ne correspond pas vraiment à une tendance profonde de la nature humaine, à en juger par le nombre de parents incapables d'imaginer que leur gros bébé gazouillant deviendra inévitablement, dans les quinze ans à venir, un long adolescent dégingandé et contestataire. Heureusement, la nature est là qui offre aux parents en question 5 475 jours pour se faire à cette idée !

Pour répartir avec minutie tous les postes d'un budget, il faudrait s'adjoindre en fait les services d'un comptable. Aussi faut-il renoncer à raffiner trop précisément et se contenter d'évaluer les postes essentiels. On m'a cependant cité le cas d'un jeune manager qui s'était

efforcé pendant une année de noter chaque dépense effectuée dans sa maison, en les répartis-
sant par secteur d'activité. A la fin de l'exercice [1] il a pu soumettre à sa femme un bilan
complet et réfléchir avec elle à leur politique
financière commune. Ils se sont ainsi aperçus
que l'alimentation ne représentait que 27 p. 100
à peine de l'ensemble et que les vacances, loisirs et transports coûtaient presque aussi cher.
Ils ont également remarqué, n'ayant pas d'enfants, qu'ils consacraient davantage au restaurant où ils déjeunaient presque chaque jour et
s'attardaient souvent le soir en sortant du cinéma, qu'à l'habillement. A leur grande honte
de jeunes cigales, ils constatèrent enfin qu'ils
négligeaient complètement le secteur maison,
où ils n'avaient pour ainsi dire rien investi, bien
qu'il leur manquât une quantité d'objets de
première nécessité.

Avaient-ils tort ou raison ? Eux seuls étaient
à même d'en juger. C'est là qu'on rejoint, une
fois de plus, l'éthique fondamentale du management qui ne cherche pas à imposer des règles

1. Exercice : période sur laquelle est établi un
budget, généralement une année.

« bonnes ou mauvaises pour tout le monde et toutes les entreprises », mais qui suggère des modes de réflexion permettant à chacun de chercher la solution la mieux adaptée à son cas particulier, et par conséquent de se fixer des objectifs cohérents.

Le choix
des objectifs

On nous l'a suffisamment répété depuis l'enfance : « Des goûts et des couleurs, on ne discute pas. » Chaque individu, ou chaque couple, a une certaine conception de la vie, à laquelle il s'efforce de conformer ses actes, et en fonction de laquelle il doit prendre ses décisions. Cela est particulièrement vrai en matière d'argent et personne ne devrait se permettre d'aller plonger le regard dans le portefeuille du voisin. A revenus égaux, les modes de vie diffèrent considérablement d'un ménage à l'autre ; on a toujours tendance à ne voir affleurer la surface du train de vie des autres que les dépenses

qu'on se refuse soi-même. La fameuse question : « Mais comment font-ils pour... avoir la
maison de campagne que nous n'avons pas ?
S'acheter une si belle voiture ? Faire vivre trois
enfants ? Passer des vacances en Grèce ? Partir
en week-end si souvent ? Boire du champagne
tous les dimanches ? » ne cessera jamais d'ali-
menter les conversations.

Comment font-ils ? Mais c'est très simple. Ils
préfèrent une voiture à une maison de campagne, une maison de campagne à de grands voyages, un grand voyage à un enfant, et une soirée
bien arrosée avec des copains à une sortie à
deux dans un bon restaurant. On trouverait
toujours, en cherchant bien, que ceux qui ont
ce que nous n'avons pas, n'ont pas ce que nous
avons.

Mais si chacun est libre de faire ce qu'il veut,
il doit s'efforcer de le faire consciemment. Cette
marge de liberté s'exerçant, bien entendu, sur
la partie du budget non essentielle au minimum vital.

A cet égard, les marges de liberté évoluent
très rapidement depuis vingt ans. La part de
l'alimentation dans le budget moyen des Français représentait en 1950 45 p. 100. Elle n'est

plus aujourd'hui que de 29 p. 100. Le poste « culture, loisirs, hôtels, restaurants et divers » est passé dans le même temps de 15 à 19 p. 100 ; l'habitation a fait un bond énorme de 12 à 19 p. 100, et le secteur « hygiène et santé » a plus que doublé passant de 6,2 p. 100 à 13 p. 100. Les secteurs où des choix importants s'imposent sont donc en constante augmentation alors que le domaine du quotidien a tendance à se rétrécir. Les esprits n'ont pas toujours suivi, et beaucoup de femmes continuent à se battre sur le prix d'un kilo de haricots verts et négligent de vérifier méticuleusement leurs droits en matière de remboursement de Sécurité sociale.

Cette complication des choix financiers et cette diversification des problèmes rend l'établissement d'un budget de plus en plus délicat, aussi faut-il prendre la peine de faire un effort de participation dans la recherche des objectifs. La vérité ne doit pas seulement régner en maître sur les prix, elle doit également régir les rapports humains. La gratte et la rogne ne peuvent en aucun cas être compatibles avec un bon management financier.

Dans une entreprise moderne, la préparation

du budget prévisionnel tient compte des besoins et des perspectives de l'ensemble des services. Chaque responsable de secteur est chargé de préparer la liste des dépenses qui lui semblent nécessaires dans l'année à venir et de toutes les recettes prévisibles. Ces différents états sont ensuite confiés à un service spécialisé muni d'un ordinateur. Son responsable soumet à la direction de l'entreprise un projet d'ensemble tenant compte des prévisions des uns et des autres. La direction ne se contente pas, en général, d'entériner simplement ces propositions, mais essaie, en restreignant certains postes ou en forçant sur d'autres, d'infléchir la marche de l'entreprise. Elle peut décider, par exemple, de lancer une campagne de publicité qui augmentera les ventes, mais de diminuer certains achats de biens immobiliers et de les reporter à l'année suivante.

Elle fixe ainsi des objectifs suffisamment ambitieux pour stimuler ceux qui sont chargés de les exécuter mais suffisamment raisonnables pour ne pas les décourager. Tous les livres de management comparent cette méthode des « objectifs » à l'entraînement d'un sauteur : « Il faut, disent-ils, fixer la barre suffisamment haut pour lui faire améliorer ses propres performances, mais assez bas pour ne pas lui saper le moral. Et, surtout, l'entraîneur doit travailler en étroite liaison avec le champion. »

La gestion classique se contentait de constater les besoins et les progrès possibles d'une entreprise. C'est en déterminant les objectifs que le management moderne s'en écarte radicalement. Par leur intermédiaire, le manager peut avoir prise sur l'avenir au lieu de se laisser ballotter au gré des événements, et il s'efforce d'entraîner l'adhésion des différents membres de l'entreprise. Sans leur concours, en effet, il le sait bien, les objectifs ne sont que signes noirs sur du papier blanc.

Un gouvernement suit un processus identique quand il établit le budget national. Qu'il décide de restreindre les sommes attribuées à la Santé publique ou d'augmenter les crédits de l'Education nationale, il traduit en termes financiers des choix politiques. Et il ne peut les réaliser qu'avec l'assentiment des ministres chargés des différents secteurs. On a parfois vu certains ministres (assez rarement, car il faut être hors de soi ou bien courageux pour démissionner pour des questions d'argent) renoncer à leurs portefeuilles parce que l'on avait coupé leurs crédits.

Les particuliers peuvent parfaitement s'inspirer de cette démarche. C'est, en fait, la méthode qu'adoptent d'instinct les jeunes ménages contraints, pour rembourser les traites d'un logement, de réviser sérieusement leurs habitudes financières. Tenus par cet objectif, ils se voient contraints d'examiner en commun tous les choix possibles et de résoudre les problèmes qui se posent. Il n'est plus question de faire cavalier seul, comme au temps de la jeunesse irresponsable. Plus question non plus de garder secrets des problèmes d'argent comme il était de bon ton de le faire dans les ménages de la bourgeoisie traditionnelle.

Secret dû, en partie, au conservatisme masculin dont on trouve quelques vestiges parmi les cadres ou les petits patrons à revenus importants. On rencontre encore de ces « fossiles » qui allouent à leur épouse une somme mensuelle fixe et se chargent entièrement d'assumer les problèmes financiers du couple, considérant qu'il s'agit là d'un secteur réservé au sexe fort et que, de toute façon, « les femmes n'y connaissent rien en matière d'argent ».

Je me suis amusée un jour à tester les différences de mentalité entre les ménages. Le procédé d'enquête est simple. Il suffit de demander à une femme : « Savez-vous combien gagne votre mari chaque mois [1] ? » Si elle ne peut pas répondre, on peut être sûr :

1. Qu'elle ne travaille pas elle-même : les femmes qui travaillent ont, avec les problèmes d'argent, des relations beaucoup plus simples que celles qui dépendent financièrement de leur mari.

2. Que son mari gagne plus de 5 000 F par mois, en dessous de ce chiffre les ménages ont trop de problèmes pour se permettre de ne pas les manager en commun.

3. Que son mari a une mentalité conserva-

1. Bien entendu sans lui demander de vous dire le chiffre exact. La France est un pays où le culte du secret financier est tel qu'il est plus indécent de demander à quelqu'un combien il gagne que de lui demander s'il a une maîtresse !

trice et qu'il veut éloigner son épouse de la réalité quotidienne. Il la laissera dans un grand dénuement psychologique si un jour il la quitte ou s'il meurt (ce sont souvent ces maris-là qui quittent un beau jour leur femme légitime pour refaire une vie sur des bases plus modernes).

4. Qu'ils doivent avoir des discussions d'argent souvent peu agréables entre eux.

Ce quatrième point ne paraîtra pas évident à première vue à certaines femmes qui croient qu'il serait souvent plus facile de se cantonner dans un rôle d'exécutante sans avoir à assumer une part des préoccupations. Et pourtant, l'exemple du monde professionnel est absolu sur ce point. Dans les entreprises où les résultats financiers demeurent le secret de la direction, les conflits sont beaucoup plus fréquents que dans celles où l'on peut lire à livre ouvert. Il y a un sentiment de frustration inévitable quand on imagine au lieu de savoir. L'information est toujours le garant de la raison. Et si un mari qui applique cette vérité financière est déçu et subit malgré tout les

récriminations de son épouse, ce n'est pas de
méthode qu'il devra changer, mais de femme.
Celle qu'il a n'est certainement pas digne de
sa confiance !

La délégation
des responsabilités

Cette confiance indispensable à l'établissement du budget doit, bien entendu, conduire
à une délégation des responsabilités au stade
de l'exécution. A partir du moment où l'on
s'est mis d'accord sur des sommes à investir,
il est absurde de passer son temps à se surveiller réciproquement pour contrôler si chacun dépense « bien » ou « mal » les sommes
dont il dispose. Les petits orages de ce genre
engendrent souvent de grandes tempêtes.

Le principe ne vaut pas seulement pour les
adultes, les enfants aussi devraient bénéficier
de cette autonomie budgétaire dans les limites
des sommes qui leur sont allouées. J'ai été
très étonnée de lire un jour dans un magazine

destiné aux parents que 33 p. 100 seulement
des enfants de huit à douze ans disposaient
d'une somme fixe par mois, alors qu'ils dépen-
sent 197 millions de francs par an. Cela laissait supposer que 67 p. 100 d'entre eux étaient
obligés de demander de l'argent à leurs parents
de façon sporadique et non budgétisée. Les
mères ne savent-elles pas que ce système se
révèle désastreux économiquement, et qu'il
est infiniment moins onéreux de prévoir une
mensualité raisonnable que de croire contrôler
des dépenses fluctuantes. En dehors du fait
qu'elles n'habituent pas leurs juniors à manager eux-mêmes leur propre budget.

Le contrôle ne se révèle indispensable qu'en
cas de débordement inexplicable. Nos mères
se plaignaient souvent d'être volées par leur
bonne, et pourtant elles passaient au peigne
fin les comptes de la maison. Comment pou-
vaient-elles concilier les deux choses ? La
comptabilité, tout le monde le sait, ne veut
rien dire, si l'on n'accorde pas sa confiance à
ceux qui la tiennent. Il vaut donc mieux
apprendre à ses enfants à être dignes de cette
confiance qu'à rendre des comptes. Parce
qu'ils sont bien assez grands, quel que soit

leur âge, pour savoir les truquer si on les force à le faire.

Enfin, on ne peut pas parler des finances domestiques sans aborder le problème des moyens modernes de gestion. De même que certains chefs d'entreprise se méfient des ordinateurs et redoutent, en faisant entrer dans leur affaire ces machines trop « intelligentes », de ne plus être capables de dominer les problèmes que la machine posera, certaines femmes ont peur de profiter des facilités que les banques ou les organismes de crédit mettent à leur disposition. Elles ont l'impression, en se faisant ouvrir un compte en banque, ou en utilisant une carte de crédit, d'être entraînées à dépenser plus qu'elles ne devraient. A première vue, il leur semble plus facile d'inscrire quelques chiffres sur un bout de papier ou de tendre un petit rectangle de plastique que de sortir un billet de son portefeuille.

Mais qu'elles y réfléchissent, ce n'est pas du chéquier qu'elles se méfient mais d'elles-mêmes ! Elles se comportent exactement comme les parents qui refusent d'avoir la télévision chez eux par crainte que les enfants ne restent rivés toute la journée devant le petit écran, ou comme les maris qui redoutent que leur femme ne les trompe si elle prend la pilule, sous prétexte que la contraception, en levant la hantise de l'enfant involontaire, encourage les femmes à être volages.

Tous ces gens qui entrent dans l'avenir en marchant à reculons font bien peu confiance à la capacité qu'ont les humains à dominer le progrès. On peut toujours dire non à la télévision, au séducteur, ou à son compte en banque. C'est une question d'entraînement.

Et il vaut mieux apprendre le plus vite possible à le faire, car l'argent est appelé à disparaître de plus en plus dans la vie quotidienne à la fin du xxe siècle. On prévoit déjà aux Etats-Unis la *checkless society* (société sans chèques) où les opérations de versements ou de règlements se feront d'ordinateur à ordinateur par simple coup de téléphone. En Europe, nous nous dirigeons pour l'instant vers la *cashless society* (société sans argent liquide) où les particuliers recourent de plus en plus couramment à leur banque pour régler leurs factures, payer leurs impôts, gérer leurs économies, et ne conserveront notre bonne vieille « monnaie sonnante et trébuchante » que pour les petits frais courants, du jeton de téléphone au paquet de cigarettes.

Une fois encore les femmes seront-elles en retard d'une bataille sur le front de leurs problèmes quotidiens, et laisseront-elles leurs habitudes prendre le dessus sur leurs possibilités ? Il faut espérer que non.

CHAPITRE X

LA PHILOSOPHIE DU MANAGEMENT

ODIEUX, insupportables, antipathiques, nos fils — cinq et neuf ans — se lèvent, se rassoient. Se bousculent. Se chamaillent. Pleurnichent. Toutes les semaines. Tous les vendredis. Dans le train du week-end. L'hiver, quand nous jugeons les routes trop glissantes. Ils mettent leurs pieds sur les coussins, se disputent avidement un journal illustré, se plaignent de la soif, de la faim, exigent des bonbons, dérangent quatre personnes pour rejoindre le couloir. Toutes les semaines, l'atmosphère était aussi tendue que mes nerfs et mes nerfs aussi crispés que ceux de leur père, mon mari. Je ne parle pas des soupirs exaspérés des autres voyageurs (il est si difficile de supporter les enfants des autres). Je ne parle pas des regards assassins de mon mari qui avait, chaque vendredi, un article à préparer et tentait de profiter du trajet pour relire sa documentation. Je ne parle pas de ma propre irritation.

Le jour arriva enfin où la coupe fut pleine et où je décidai d'agir. Nous ne pouvions continuer ainsi à nous gâcher la vie, nous ne devions pas prendre la détestable habitude de nous disputer avec les enfants pour qui les départs en week-end étaient sur le point de devenir la pire des punitions.

Au lieu d'aborder le problème de façon subjective en me persuadant que l'un ou l'autre d'entre nous avait tort [1] et de me lamenter sur les difficultés de la vie commune et le poids des contraintes familiales, j'ai tenté de rassembler un maximun de faits objectifs, de réfléchir à toutes les solutions possibles, et de prendre une décision efficace. En somme, je pris la résolution de manager mon départ en week-end. Et j'arrivai aux conclusions suivantes :

Première constatation : On ne peut pas demander à deux petits garçons de cinq et neuf

---

1. Ce « l'un ou l'autre d'entre nous » est une clause de style. Il faut avouer qu'en mon for intérieur j'accusais toujours les autres et jamais moi, pauvre victime que j'étais !

ans de rester assis tranquillement dans un compartiment de chemin de fer plus de quinze minutes consécutives.

Il faut donc élaborer un système visant à déranger le moins de gens possible quand l'irrépressible envie de se dégourdir les jambes les saisit.

Réflexion : Mon mari et moi avons l'habitude d'adopter les coins « fenêtres » et nos deux héritiers se retrouvent donc, si nous voulons les garder à nos côtés, au centre du compartiment. Il n'y a pas de place pire.

Décision : Poser les enfants dans les coins couloir, me mettre à côté de l'un d'eux, à seule fin d'ouvrir la porte (impossible à manipuler par de jeunes biceps) et laisser leur père s'asseoir le plus loin possible.

Deuxième constatation : La quantité de livres consommée dans un train par un enfant qui ne sait pas lire est absolument fabuleuse. Il se contente en effet de regarder les images.

Réflexion : On a toujours tendance à emporter plus de lecture pour les grands que pour les petits, c'est une erreur.

Décision : Vérifier moi-même, avant le départ pour la gare, que la provision d'illustrés et autres *Babars* destinés à amuser l'analphabète est suffisante. Mettre ces précieux documents dans ma serviette plutôt que dans la valise des enfants ; rien n'est plus désagréable que le déballage en chaîne des bagages dits « à main » dans un compartiment encombré.

Troisième constatation : La tradition veut que les membres d'une même famille voyagent ensemble et prennent place dans un même compartiment. Or, de toute évidence, les exigences des enfants, et celles de leur père, sont absolument incompatibles.

Réflexion : Pourquoi ne pas voyager séparément dans la détente, plutôt que conjointement dans l'énervement ?

Décision : Essayer dans toute la mesure du possible de laisser mon mari aller travailler tranquillement à un autre bout du wagon et me charger de la « garde » des enfants.

Je tiens à préciser que cette idée qui paraît « choquante » à première vue s'est révélée extrêmement valable à l'usage. Nous avons même raffiné le système. Mon mari assure désormais la relève du retour, lorsqu'il se trouve libéré de son travail et m'accorde ainsi deux heures de lecture sereine.

Ainsi managées, nos allées et venues sont devenues beaucoup plus agréables pour tous. Et pour un investissement identique, le profit s'est trouvé considérablement accru.

Si j'ai choisi de raconter cette anecdote, apparemment sans grande importance, c'est qu'elle illustre parfaitement pour moi la « philosophie » de ce livre.

« Philosophie », le mot paraît bien pompeux, mais il trouve sa place dans un ouvrage sur le management. Il commence en effet à être également employé dans l'univers professionnel. Un fabricant de lessive ou un directeur de supermarché s'en serviront pour définir ce que nos pères appelaient l'« esprit maison ».

Le terme « philosophie » recouvre dans ce cas l'ensemble des principes auxquels se réfèrent les gens qui travaillent dans une même entreprise : un curieux cocktail de morale professionnelle et de méthodes d'action. Dans le livre de Marvin Bower, *Diriger, c'est vouloir*, dont le titre à lui seul est déjà tout un programme, j'ai trouvé une recette de ce cocktail dynamique et revigorant :

« N'importe quelle organisation doit — pour survivre et réussir — adhérer à une série de principes sur lesquels elle fonde toutes ses politiques et toutes ses actions. Le facteur le plus important du succès d'une entreprise est que chaque individu y adhère lui aussi. Bien que les principes directeurs varient d'une entreprise à l'autre, en voici cinq que l'on retrouve fréquemment :

« 1. Que l'éthique soit le guide des actions de l'entreprise tant à l'intérieur qu'à l'extérieur.

« 2. Que les décisions soient fondées sur des données objectives.

« 3. Que l'entreprise s'adapte constamment aux forces qui l'entourent.

« 4. Que les hommes soient jugés selon leurs résultats et non pas selon d'autres critères tels que l'éducation, la personnalité ou l'origine sociale.

« 5. Que les dirigeants fassent preuve d'un sens aigu de la concurrence. »

Voyons comment ces principes pourraient s'appliquer au comportement des femmes dans la direction de l'entreprise « famille ».

L'éthique

Il s'agit du sens moral qui anime chaque individu dans son travail, le faisant agir proprement, en « type bien ». Sur ce premier point pas de problème, la conscience professionnelle est une conscience naturelle aux femmes. La plupart d'entre elles ont profondément le sens de la « moralité » et la conscience de leurs responsabilités. Dans l'univers professionnel on reproche souvent à la main-d'œuvre féminine son absentéisme [1]. Pas d'absentéisme dans l'univers personnel. Les femmes « au foyer » désertent rarement, quelle que soit leur fatigue. Ou les exigences de leur chef d'entreprise !

Non, on ne peut vraiment pas accuser les femmes de prendre leur rôle à la légère. Elles pécheraient plutôt par excès inverse. Sur le premier point, il leur est donc facile d'adopter la « philosophie » du management.

Et puis si cette morale n'est pas la leur, aucun truc, aucun conseil ne pourrait rien changer à leur vie privée. Il leur manquera toujours le petit moteur entêté qui fait tourner rond la machine. Ce moteur, c'est l'envie de rendre les êtres heureux autour de soi et la faculté d'être heureuse soi-même.

---

1. Absentéisme dont on a souvent tendance d'ailleurs à surestimer l'importance, comme l'ont prouvé certains chercheurs du C.N.R.S.

L'objectivité

Là, les choses se gâtent nettement. Et pour cause. Même dans les entreprises les mieux organisées, même entre les hommes qui, par souci d'efficacité, évitent autant que possible de laisser les rapports humains grignoter les rapports professionnels, l'objectivité n'est qu'un leurre. Les sentiments ne se commandent pas aussi facilement que les techniques. Quiconque a travaillé dans une entreprise, quelle qu'elle soit, a pu constater que beaucoup de décisions inexplicables ne peuvent se justifier que par les « complexes », les « élans », les « états d'âme » de ceux qui sont chargés de les prendre. Dans les bureaux ou dans les ateliers, la psychologie de bazar va ainsi bon train à l'heure des repas...

Dans la vie commune, où tous les rapports sont fondés, par définition, sur la subjectivité, comment en serait-il autrement ? Nous connaissons l'histoire du bifteck : un mari demande à sa femme, à table : « Où as-tu acheté ce bifteck ? » Au lieu de lui donner l'adresse du boucher, elle lui répond d'un air inquiet (si elle est d'un naturel angoissé) ou vexé (si elle est d'une nature agressive) : « Pourquoi, tu ne le trouves pas bon ? »

Tant que les femmes se sentiront ainsi directement remises en question par les moindres incidents matériels de leur vie, elles vivront dans un grand état de tension et d'insécurité. En effet, quelles que soient leur compétence et leur énergie, elles ne pourront pas toujours empêcher les robinets de fuir, les pommes de terre de brûler, les chemises de s'user plus vite dans la machine à laver, et les pieds des enfants de grandir plus rapidement qu'il n'est convenable...

Le management, école du rationnel, peut cependant les aider dans cette recherche de l'objectivité. En réfléchissant systématiquement aux données d'un problème, on le dédramatise, car on laisse à l'esprit le temps de prendre le pas sur le sentiment. Non, cette méthode n'est pas inhumaine. Elle ne tue ni la passion, ni la fantaisie, ni la poésie. Elle évite seulement qu'on les emploie à mauvais escient. Il y a bien assez d'occasions dans la vie de se servir de son cœur. Mieux vaut le ménager en évitant de le laisser traîner dans les casseroles. Il est des lieux plus nobles où il pourra à loisir s'enthousiasmer... ou se briser.

La faculté d'adaptation

La vie des couples d'aujourd'hui n'a que peu de rapports avec celle de leurs ancêtres. Dans le temps, la majorité des ménages vivaient toute leur vie dans la même ville que leur famille et dans l'appartement ou la maison où ils s'étaient mariés. La plupart des hommes n'avaient qu'un but : grimper patiemment les échelons des responsabilités dans l'entreprise où ils débutaient pour finir, après quarante ans de maison, la conscience en paix, la retraite au bout et la médaille de la fidélité en prime.

De nos jours, la société en perpétuelle mutation bouleverse constamment les données de la vie quotidienne. La mobilité de la main-d'œuvre peut contraindre plusieurs fois dans une vie à changer de cadre d'existence [1].

1. Les Américains considèrent qu'un couple déménage en moyenne cinq fois au cours de sa vie en commun. Les normes françaises pour les couples urbains sont très légèrement inférieures à ce chiffre.

D'une ville à l'autre, d'une situation à l'autre, les habitudes d'un foyer peuvent se modifier complètement. Toutes les femmes sont en puissance des épouses d'officiers ou de préfets qui, de poste en garnison, éternelles nomades, sont contraintes à retisser constamment la trame du quotidien. Même les hommes peuvent subitement changer totalement de personnage. Tel employé modeste, qui recherchait en se mariant les joies simples d'un foyer débutant, se révélera soudain exigeant le jour où une réussite professionnelle en aura fait un cadre et attendra de sa femme bien d'autres qualités que celles qui l'avaient séduit à vingt ans. Celles qui ne sauront pas prendre en marche le train de ces locomotives risquent alors les pires déraillements conjugaux. La réussite subite peut se révéler aussi dangereuse pour la bonne entente d'un couple que la médiocrité ronronnante.

La faculté d'adaptation devient de ce fait l'atout essentiel qui saura préserver l'équilibre.

Que l'on songe à la différence entre les qualités exigées d'une femme il y a un siècle et celles dont elle doit faire preuve aujourd'hui pour faire face à toutes les exigences du style de vie contemporain. A la bonne ménagère, parfaite mère de famille qui comblait nos aïeux, il faut adjoindre désormais une athlète capable de participer aux loisirs sportifs, une citoyenne consciente exprimant de façon raisonnée ses opinions et ses votes, une travailleuse ambitieuse et compétente participant souvent largement aux frais du ménage, une organisatrice hors pair et une beauté que les maternités ne fanent pas et que les années épargnent. C'est beaucoup, ce serait même trop si l'on n'arrivait pas à coordonner tous ces personnages pour qu'ils s'aident les uns les autres. Le management peut, là encore, faciliter cette « cohabitation », en permettant par la réflexion constructive de prendre sa vie en main au lieu de se laisser dévorer par elle.

La lucidité

Dans le cadre d'une entreprise le quatrième principe consiste à juger les hommes pour ce qu'ils font et non pas pour ce qu'ils sont. Il est nécessaire de transposer un peu cet axiome pour l'adapter à la vie quotidienne. Je crois

qu'il recouvre ce qu'on appelle la lucidité. Pour
un couple, c'est une arme à double tranchant.
On ne peut pas être lucide quand on aime. Mais
on peut juger lucidement son propre comportement à l'égard de ceux qu'on aime. Les deux
choses sont parfaitement compatibles.

Disons que cette théorie-là pourrait se traduire dans les relations personnelles par le fait
qu'il vaut mieux juger les gens qui vous entourent en tenant compte de ce qu'ils sont plutôt
que ce qu'on voudrait qu'ils soient. Loin de
nuire à l'entente, cette attitude rend, au contraire, les relations infiniment plus faciles.
Combien de parents persécutent moralement
leurs enfants parce qu'ils ne répondent pas à
l'image qu'ils se sont faite d'eux quand ils les
ont mis au monde ? Combien de femmes ignorent les qualités de leurs maris parce qu'elles
ne remarquent que celles qui leur manquent ?
L'exemple le plus classique demeure celui des
anniversaires. La plupart des femmes attachent
à cette tradition une importance considérable.
Elles sont douées pour les dates sentimentales
d'une mémoire d'éléphant et poursuivent d'une
rancune attribuée au même animal ceux qui
les oublient. Embusquées au coin du calen-

drier, elles attendent, avec un gros fusil à reproches, que le criminel trébuche. Mais puisqu'elles savent depuis longtemps qu'il « est comme
ça », pourquoi ne lui tendent-elles pas une rame
au lieu de le laisser se noyer dans le marais de
l'oubli ? Un bon manager connaît les travers
de ses collaborateurs importants. Il les a acceptés comme ils sont. Dès lors, il s'efforce de
les aider dans les domaines où ils font preuve
d'une moindre compétence.

Tous les livres de management, après avoir
décrit l'homme idéal pour un poste donné, pré-
cisent qu'il est presque impossible de recruter
une personnalité répondant à toutes les exigences à la fois, et qu'il faut, par conséquent,
se contenter d'engager un homme approchant
le plus possible de l'idéal, c'est-à-dire présen-
tant un maximum de qualités requises et un
minimum de défauts graves.

Le mari idéal non plus n'existe pas. Mais à
partir du moment où on a été amenée, un jour,
à le « recruter », il faut admettre qu'il présen-
tait, à l'époque de l'« embauche », des avantages non négligeables. Le management se révèle
fort bon conseilleur dans ce cas puisqu'il recommande de faire preuve de la plus grande

honnêteté dans l'établissement du bilan. En pratiquant le système de la comptabilité en deux parties, on peut sans cesse contrebalancer le passif qui a tendance à émerger et l'actif qu'on a tendance à négliger.

L'esprit de compétition

Cette notion est sans doute une de celles qui caractérisent le mieux la mentalité américaine en matière de management. Roger Priouret définit d'ailleurs le management comme « l'art de faire la guerre économique ». Dans le vocabulaire lui-même, les termes employés relèvent souvent du style militaire. On parle couramment de « tactique », de « stratégie », on compare les « forces en présence » et l'on assure que l'on ne peut pas « attaquer » plusieurs marchés à la fois. Simplement le mot « concurrent » a remplacé le mot « ennemi ». Il ne faut pas oublier que la science du management a été inventée par des hommes, que ceux-ci, plus ou moins consciemment, conservent une certaine nostalgie de la guerre et essaient de retrouver dans l'univers technologique et économique un substitut de l'exaltation qu'ils trouvaient sur les champs de bataille.

Mais les femmes ? Elles n'ont jamais aimé ni la guerre ni ses lois, elles lui ont toujours opposé leur soif d'équilibre et de tranquillité. Pourquoi seraient-elles attirées par l'esprit de compétition, contre qui ont-elles envie de se battre ?

Imaginons donc que les femmes n'aient pas de concurrent déclaré à l'horizon (ce qui n'est pas forcément vrai) : à défaut de se battre *contre*, elles peuvent toujours se battre *pour*. Personne ne leur dénie cette formidable capacité d'énergie quand il s'agit de protéger ou de conserver ce qu'elles possèdent. Dans la nature, toutes les femelles, d'instinct, sortent leurs griffes dès qu'un adversaire se risque à porter atteinte à leurs petits ou à leur disputer leur mâle. Les griffes, de nos jours, devraient être aussi démodées que les fusils. Et la nouvelle façon de faire fuir l'ennemi est peut-être de savoir creuser autour de son foyer ce solide abri anti-atomique que représentent des relations humaines simplifiées et des conditions de vie agréables.

Pourtant, il faut aller au-delà, et admettre que l'image de la femme gardienne du foyer est extraordinairement dépassée, même si elle prévaut encore pour une très grande majorité d'hommes. L'enjeu de la bataille de la vie privée, c'est d'abord les femmes elles-mêmes. Pour jouer leur rôle d'adulte à part entière, et participer vraiment au fantastique essor du monde moderne, elles doivent d'abord être inattaquables dans l'exercice de leur « métier de femme », sinon on leur reprochera éternellement de sacrifier leur « vraie » mission à leur ambition.

Mon père m'a raconté : « Le jour de la déclaration de guerre, en 1914, ma mère m'a fait venir ainsi que mes deux frères et nous a dit : « Mes fils, vous portez tous trois un nom juif. Bien que nés en France, beaucoup de gens ne vous considèrent pas comme de véritables citoyens de ce pays. Vous n'avez qu'une solution : revenir avec la croix de guerre. Si vous devenez des héros, la société française vous admettra enfin. Vous aurez fait vos preuves à l'égard de la patrie. Quand on appartient à une minorité, il faut être mieux pour avoir le droit d'être bien. »

J'ai souvent songé à cette phrase à propos

des femmes. Numériquement majoritaires, elles sont socialement des mineures. Je ne crois pas, comme les féministes du début du siècle, que c'est en se révoltant contre la condition féminine qu'elles gagneront la bataille de leur propre épanouissement, mais plutôt en assurant le mieux possible leurs responsabilités, celle de porter des enfants et de porter bonheur, celle de réussir un clafoutis et de réussir une carrière. Leur croix de guerre à elles, c'est de porter ces doubles vies sur les épaules et de se tenir droites.

C'est une bataille difficile à mener et qui appartient en propre aux générations d'aujourd'hui.

En décidant d'apprendre les règles du jeu de la société technologique, de s'y conformer sans en devenir esclaves, les femmes se libéreront d'une partie de leurs préoccupations matérielles. Elles n'auront pas trop de toute leur énergie et de toute leur imagination, en effet, pour s'adapter dans les trente ans à venir au grand chambardement que nous réserve la société post-industrielle.

CHAPITRE XI

LA RÉVOLUTION TECHNOLOGIQUE

Il est posé sur un guéridon Charles-X dans le somptueux appartement du directeur de la Beverley Bank de Chicago. Il a un petit air familier. Sur son ventre, douze touches blanches, comme celles d'une machine à écrire, remplacent le cadran [1].

C'est par ce téléphone qu'a commencé mon enquête aux Etats-Unis sur les bouleversements que pourrait apporter la technologie dans la vie privée des ménages, d'ici à l'an 2000.

« Ce téléphone, m'explique le directeur, va nous permettre de supprimer bientôt les intermédiaires entre nos clients et les ordinateurs. Chacune de ses touches émet un son différent

1. Les téléphones à douze touches ne sont pas des prototypes expérimentaux. L'American Telephone and Telegraph, compagnie privée, commence à les installer en série sur demande des abonnés. La redevance est évidemment plus chère que pour un poste ordinaire. Elle s'élevait, en 1968, à 30 dollars par an (150 F).

que la machine est capable de comprendre et qu'elle perçoit comme autant de lettres ou de chiffres. Il suffira de glisser dans une fente du récepteur une petite carte plastique, qui permettra à l'ordinateur de vous identifier, et de lui donner ensuite les instructions nécessaires. Chaque opération aura été programmée au préalable, c'est-à-dire qu'on aura appris à la machine un certain nombre de sons, émis dans un certain ordre, lui demandant d'opérer dans sa mémoire une recherche donnée, ou d'enregistrer de nouvelles opérations. L'ordinateur peut ainsi fournir une réponse immédiate aux questions posées. Nous sommes la première banque à expérimenter cette gestion de compte programmée en direct, mais dans quelques années ce sera chose courante. C'est purement une question d'argent, car le prix de revient est encore assez élevé.

— Mais comment l'ordinateur donnera-t-il sa réponse ?

— En parlant, bien entendu. D'ailleurs, écoutez-le. Nous allons lui demander si mon compte est suffisamment approvisionné pour que je puisse tirer un chèque de 30 dollars. »

Je prends l'écouteur. Une voix de femme un

peu trop sèche et monocorde (on ne peut quand même pas demander à un ordinateur d'y mettre le ton !) précise en séparant chaque syllabe :

« Com-pte-8-7-6-3-9-1- cré-dit-tren-te-do-llars-O-K-stop-chè-que-ac-cep-té-mer-ci-ter-mi-né. » (En anglais bien sûr, puisque c'est la langue maternelle des ordinateurs.)

Passionnée d'informatique, j'avais imaginé, dans ma petite tête d'Européenne un peu sous-développée, que je trouverais aux Etats-Unis des spécialistes capables de rêver avec moi sur un futur de science-fiction. J'ai rencontré des hommes tranquilles qui avançaient des hypothèses logiques pour un avenir prévisible et je me suis prise au jeu.

A partir de ce petit téléphone, par exemple, toute la conception du shopping peut être bouleversée. J'ai posé la question : « Dans combien de temps croyez-vous que les femmes considéreront comme normal de faire la plupart de leurs courses sans avoir besoin de se déranger, sans quitter leur domicile ? » Les réponses ont varié : de cinq à quinze ans, selon l'optimisme de mes interlocuteurs. Aucun n'a considéré que ma question était absurde.

Imaginons comment fonctionnera le système.

Chaque ménagère possède, bien entendu, un catalogue très détaillé des différentes marchandises offertes par son magasin habituel. Ce catalogue, qui ressemble beaucoup à ceux qui sont distribués actuellement par les organismes de vente par correspondance, n'est pas le seul moyen d'information à la disposition de la cliente. Elle peut éventuellement se brancher un quart d'heure sur un circuit de télévision qui lui présente en couleurs les différents articles-réclame du jour. Chaque article porte un numéro de référence. Ayant établi avec précision sa liste de commissions, elle appelle l'ordinateur du magasin au téléphone, lui transmet son identification par la carte perforée et passe sa commande. Si la boîte de sardines à huile porte le numéro 6-2-3, elle tape ces trois chiffres, suivis de la touche « multiplié par » et de nouveau la touche 6. Le reste de sa commande suit. A la fin de la conversation, elle entend l'ordinateur lui dire gaiement (car dans quelques années, les ordinateurs y mettront aussi le ton !) :

« Le montant de ce que vous venez de commander s'élève à cent vingt-huit francs. Désirez-vous payer à la livraison ou préférez-vous que nous débitions votre compte en banque ? »

Si elle désire débiter son compte en banque, la cliente appuie sur la touche « D » et glisse dans la fente du téléphone sa carte d'identification[1]. Toujours poli, l'ordinateur dit « merci » et transmet instantanément la facture à l'ordinateur de la banque qui en prend bonne note.

Il ne reste plus au magasin qu'à livrer la commande à domicile.

Mais, peut-on objecter, quel est le rapport entre cette nouvelle méthode de shopping à domicile et le management ? Il est évident. Les ordinateurs ne sont pas des imaginatifs, ils enregistrent scrupuleusement tout ce qu'on leur dit. Ils ne sont pas capables, comme les humains, de sentir une nuance, de déceler une hésitation, de « rectifier d'eux-mêmes » une intention mal exprimée. Pour eux, tout se traduit par oui ou non, blanc ou noir. Il faudra donc leur parler le seul langage qu'ils

---

1. Les spécialistes américains envisagent que dans quelques années, pour éviter la multiplication des numéros de code, chaque nourrisson se verra attribuer à la naissance un matricule électronique qui le suivra toute sa vie.

connaissent : celui de la raison et de la précision. Et comme ils ne se contenteront pas de mettre leurs petits cerveaux magnétiques dans nos comptes mais les glisseront dans une part de plus en plus grande de nos activités matérielles, il faudra faire preuve, pour vivre en leur compagnie, de la plus grande rigueur dans nos méthodes de travail.

La civilisation technologique dont nous percevons à peine les premiers effets va bouleverser totalement les tâches de la vie d'une femme. Plus les travaux manuels se simplifieront (des cuisinières dont le four se nettoie tout seul aux aspirateurs par catalyse qui évitent d'avoir à faire le ménage), plus les tâches administratives se compliqueront. Une maîtresse de maison a toujours été un cocktail de femme de ménage et de secrétaire. Il y a cinquante ans, la secrétaire comptait pour 20 p. 100 à peine, aujourd'hui, pour 40 p. 100 au moins. Il est évident que, dans trente ans, la femme de ménage ne représentera plus qu'un pourcentage minoritaire.

J'ai eu la confirmation de ces prévisions en interrogeant les spécialistes de prospective de la plus grande firme américaine d'ordinateurs [1]. Et bien d'autres choses aussi, car je n'avais pas imaginé toutes les applications de cette machine d'apparence modeste dont on commence à peine à explorer les possibilités : le terminal.

Qu'est-ce qu'un terminal ? Un clavier, à peu près de la taille d'une machine à écrire électrique, qui se branche sur une simple prise. Plusieurs centaines de ces claviers sont reliés à un très gros ordinateur central. Il travaille vite, très vite. Un millième de seconde lui suffit pour satisfaire tous ses clients, pour répondre à toutes leurs questions. Un millième de seconde n'étant pas perceptible pour l'esprit humain, chaque utilisateur du terminal a l'impression que la machine est à son entière disposition. Cette exploitation d'un ordinateur en temps partagé avait été conçue au début pour

1. Le directeur de cette entreprise m'a demandé de ne pas citer le nom de sa firme. « Vous comprenez, m'a-t-il expliqué, chaque fois que nous avons publié des prévisions à vingt ans de distance, on nous a traités de fous, elles semblaient irréalisables aux non-initiés. Nous tenons à notre réputation de sérieux et nous nous refusons désormais à toute prévision officielle. Je dois d'ailleurs vous dire, entre nous, que nos hypothèses se sont toujours réalisées deux fois plus vite que nous le croyions. »

permettre aux petites entreprises, trop pauvres
pour s'équiper seules, d'accéder quand même
aux bienfaits de l'électronique. Mais très rapidement les chercheurs ont imaginé que le terminal pourrait aussi entrer dans les foyers et
que les simples citoyens représentaient un marché potentiel fantastique.

« Pourquoi les particuliers achèteraient-ils
un terminal ? »

Le jeune ingénieur que j'interroge, décon-
tracté et direct, comme un bon Américain, me
regarde surpris. Je viens de toute évidence de
poser *la* question idiote :

« Vous avez la télévision chez vous ? s'en-
quiert-il.

— Oui, bien sûr.

— Pourquoi ? »

J'hésite, je ne sais que répondre, je suis
tombée dans le piège.

« Vous avez la télévision, suggère-t-il, parce
que vous n'imaginez plus de vivre sans. Elle
vous intéresse, elle vous distrait, elle vous ouvre l'esprit. Le jour où vous pourrez avoir un
terminal d'ordinateur dans votre living-room
pour deux cents francs par mois et où vous
réaliserez tout ce qu'il pourra vous apporter

à vous et à votre famille, vous ne résisterez pas. Pas plus qu'à la télévision. Vous voudrez participer à cette nouvelle révolution de la technologie.

« Bien sûr, au début, certains refuseront. Comme pour la télévision. Ils estimeront qu'ils n'ont pas besoin de ces gadgets et que les livres font fort bien l'affaire et depuis fort longtemps. Mais la dynamique du progrès est irrésistible, surtout si elle est imposée aux adultes par l'intermédiaire des enfants. »

Car le terminal s'adressera d'abord à eux. Il leur permettra de se débarrasser, par exemple, de corvées stupides et harassantes comme celle qui consiste à diviser des chiffres par un nombre décimal. Dans certaines écoles confessionnelles du diocèse de New York, des recherches ont démontré que, dès l'âge de neuf ans, les enfants sont parfaitement capables de se servir d'un ordinateur pour réaliser toutes les opérations classiques et tous les problèmes d'algèbre. Il semble que, dans quelques années, la plupart des écoliers américains feront leurs devoirs du soir par le canal du téléphone à douze touches ou du terminal ménager.

C'est là que le rôle des adultes, et surtout

des mères, devra évoluer fondamentalement. Il semble, en effet, inconcevable aux pédagogues que le fossé qui se creuse actuellement entre parents et enfants du fait de l'évolution des méthodes d'enseignement persiste. On comprend très bien le malaise actuel des adultes qui se retrouvent face à face avec des jeunes qui emploient un langage mathématique auquel ils ne comprennent rien : ils ne l'ont pas appris dans leur propre enfance. L'éducation, au lieu de resserrer les liens familiaux, de confirmer le père et la mère dans leur rôle de guide, devient une source de conflits. Nous en mesurons chaque jour la gravité.

L'ordinateur au foyer devrait au contraire rétablir l'ordre des valeurs et transformer complètement le rôle de la femme dans la société. Prenons plusieurs exemples.

Vis-à-vis des enfants, d'abord.

Relayé par la machine, le professeur aura de moins en moins besoin de consacrer son cours magistral à des mécanismes de base. L'ordinateur se chargera de ces corvées de rabâchage. Par l'intermédiaire d'une petite machine à écrire et d'un écran cathodique, il permettra à chaque enfant d'apprendre à son rythme. Pour chaque matière enseignée, la machine posera plusieurs questions à l'enfant pour s'assurer qu'il a bien compris ce qu'il vient de voir. La machine continuera ses explications aussi longtemps que les réponses seront fausses. Sans s'énerver, sans se presser, sans éluder, sans renoncer comme cela se passe trop souvent dans les classes traditionnelles, parce que l'élève qui bute retarde l'ensemble de la classe. L'apprentissage par ordinateur s'effectuera donc tranquillement à la maison, quelques heures par jour, sous le contrôle de la mère. On en reviendra presque au système du précepteur, tel qu'il se pratiquait au XVIIIᵉ siècle dans les familles aisées. Chaque enfant recevait alors un enseignement individuel dispensé sous le regard attentif d'une mère qui passait de temps en temps la tête dans l'entrebâillement de la porte et demandait : « Dites-moi, monsieur, fait-il des progrès, êtes-vous content de votre élève ? » Ces questions, elle les posera désormais à l'ordinateur qui répondra immédiatement. Pour la paix des ménages et la vertu des mères, il faut reconnaître, en outre, que les qualités de séducteur d'un terminal sont beaucoup moins évidentes que celles d'un jeune homme beau, pauvre, érudit, exerçant ses talents dans un château isolé.

Revenons à nos ordinateurs. Pour suivre les études de son enfant, la femme devra elle-même apprendre à se servir du terminal. Tous les spécialistes sont d'accord, les mères appelées à devenir des professeurs particuliers devront d'abord se recycler. Cette perspective n'est-elle pas plus excitante que celle de faire éternellement répéter les tables de multiplication ? Dans l'ordre ou dans le désordre, pour changer un peu. Quelle mère de famille nombreuse n'a pas été saisie de vertige en faisant réciter le fatidique « sept fois huit » à son quatrième enfant ? Avec le premier, le jeu était grisant, elle avait l'impression d'avoir mis au monde un petit Einstein. Au deuxième, au troisième, la fatigue aidant, l'angoisse remplace la griserie, la mère s'aperçoit qu'elle-même a oublié le terrible sept fois huit et jette un regard furtif et sournois au dos du cahier pour être sûre du résultat.

Mais l'ordinateur ne servira pas seulement aux enfants. Une fois branché, il attirera tous les membres de la famille. Le père d'abord. L'évolution de plus en plus rapide de la tech-

médiats. Aussi sont-ils contraints de mettre à jour leur comptabilité ou d'étudier leurs dossiers, lorsque le calme est revenu dans l'entreprise. L'ordinateur à domicile leur permettra de rattraper ce retard chez eux. Ils ne seront pas totalement disponibles pour les conversations familiales, mais mieux vaut un homme travaillant qu'une maison sans homme.

Un nouveau problème se posera cependant : il faudra planifier précisément les heures de service de l'ordinateur pour que le petit dernier ne s'en serve pas pour ses devoirs au moment précis où le père en aura besoin pour faire ses comptes. Un chercheur, à qui je posais cette question, sourit : « Et le téléphone ? N'est-ce pas exactement la même chose ? Que se passe-t-il quand votre fille de quatorze ans papote pendant trois quarts d'heure avec sa meilleure amie au moment où son père attend un coup de téléphone important de Londres ? Votre mari crie, votre fille lève les yeux au ciel et dit : « Je ne sais pas pourquoi, mais papa « est de mauvaise humeur. A tout à l'heure, je « te rappelle. » Et la télévision ? Vos enfants veulent regarder un film de *cowboys* sur la deuxième chaîne pendant que votre mari essaie de voir le match de rugby sur la première. Que peut-on y faire ? Avoir deux téléviseurs. Vous possédez déjà plusieurs postes de radio. Un jour nous aurons plusieurs terminaux d'ordinateurs comme certaines personnes ont deux lignes de téléphone. Les problèmes sont de même nature. Je ne vois pas la différence. »

Les enfants d'abord, les hommes ensuite. Mais les femmes ? C'est sans doute pour elles que le terminal à domicile représentera la plus grande révolution. Non seulement il simplifiera leur secrétariat domestique, comme nous l'avons vu, mais surtout il facilitera leur développement individuel. Grâce à la technologie, elles pourront profiter de leurs obligations maternelles pour se perfectionner et se cultiver, au lieu d'être contraintes par leur rôle de mère à sortir du monde qui les entoure. Celles qui travaillaient avant d'avoir des enfants en profiteront de deux façons. D'abord, en poursuivant à domicile un travail qu'elles ne peuvent effectuer actuellement que dans le cadre d'une entreprise extérieure. Il est reconnu, par exemple, que les femmes sont d'excellentes programmatrices. Elles ont la méthode, le sérieux et la conscience professionnelle néces-

pas, pour l'instant, la double vie pour une femme.

Tout cela ressemble à un roman de science-fiction. La tentation est grande de se dire que « ce n'est pas demain la veille ». Effectivement. Ce n'est pas demain la veille, c'est aujourd'hui.

Nos contemporains ont une fâcheuse tendance à se laisser surprendre par les transformations du monde moderne. Ils laissent se multiplier les voitures et posent ensuite à grands cris les problèmes des autoroutes. Ils construisent des avions supersoniques et cherchent après les remèdes au « bang ». Ils multiplient les étudiants et s'insurgent après contre le manque de débouchés. Ils laissent proliférer les villes-dortoirs et les condamnent au nom des théories urbanistiques qu'ils auraient mieux fait d'échafauder au préalable.

Vont-ils, une fois de plus, laisser faire les choses, attendre tranquillement que les rythmes essentiels de leur vie quotidienne soient totalement bouleversés, pour commencer à s'en préoccuper ?

Les ordinateurs ne représentent qu'une infime partie des changements qui nous attendent. La société actuelle est en pleine mutation et la cellule familiale subira inexorablement dans les trente ans à venir des transformations profondes. Nous commençons à peine à entrevoir les répercussions que peuvent avoir sur nos existences des notions aussi modernes que la contraception, la psychothérapie, les transports aériens ou l'urbanisation totale d'une population.

« L'écart entre l'état de la technique et l'organisation qui permettrait soit de la mettre pleinement en œuvre, soit d'en écarter les inconvénients majeurs, est caractéristique du siècle. » Cette phrase de Louis Armand n'est pas seulement vraie dans le domaine économique. Elle vaut aussi pour chacun de nous, à titre individuel.

Un chiffre cité dans *Le Défi américain* m'a frappée. Il ne s'agissait ni d'investissement, ni de sommes consacrées à la recherche, ni d'avance technologique, ni de millions de dollars, ces chiffres-là posent des problèmes économiques et politiques. Non, celui qui m'a le plus impressionnée nous pose à tous un problème personnel, c'est à notre vie quotidienne qu'il touche et au plus profond. D'après les études de M. Herman Khan et du Hudson Institute sur les conditions de vie en l'an 2000, l'auteur écrivait : « Dans trente ans, l'Amérique étant en situation postindustrielle, le revenu annuel par tête devrait être de 7 500 dollars (35 000 F par personne), la semaine de travail de quatre journées de sept heures, l'année se diviserait en trente-neuf semaines de travail et treize semaines de vacances, ce qui, avec les week-ends et les jours fériés, donnerait 147 journées de travail par an et 218 jours libres de travail. Dans une génération. »

Deux cent dix-huit à 147 ! Cette proportion peut faire rêver ou faire frémir selon que l'on sera prêt ou non à aborder cette nouvelle répartition de l'emploi du temps. Rêver parce que ce sera la chance offerte, enfin, aux femmes de s'insérer sans trop de difficultés dans l'univers professionnel, et l'occasion, en tout cas, pour tous de consacrer une part essentielle de leur existence à des activités qui les intéressent ou les amusent. De se « désaliéner » selon une expression tellement à la mode. Frémir, parce que la disparité entre les femmes débordées par les contraintes quotidiennes et matérielles et les hommes disposant de loisirs importants peut aggraver considérablement les rapports à l'intérieur du couple, aigrissant de plus en plus celles qui se considéreront comme des servantes exploitées. Frémir aussi parce que ce temps sans travail risque d'être perdu, gâché si la société n'invente pas des valeurs et des habitudes nouvelles pour empêcher cette liberté de devenir de l'oisiveté.

« Alors, qu'est-ce qu'on fait ? » Cette question des dimanches en famille a été en partie démodée par la télévision, mais il n'est pas possible d'imaginer que la « télé » puisse devenir la principale occupation d'une population entière 218 jours par an. C'est une détente, ça ne pourra jamais devenir une activité.

Dans l'élaboration de ce nouvel art de vivre, les femmes pourront jouer un rôle essentiel. Elles ont toujours été plus douées que les hommes pour « fabriquer du bonheur ». Quel merveilleux champ d'application va leur être offert pour faire leurs preuves. Mais ce bonheur-là, ce n'est pas avec leurs mains qu'elles devront le bâtir. C'est avec leur tête qu'elles devront le concevoir.

Avec leur tête, bien sûr... Mais aussi avec leur cœur.

Veulettes-sur-Mer, mars 1969.

POSTFACE

« QUE celui qui n'a jamais péché jette la première pierre », dit Jésus.

Entendant cette parole, tous s'en allèrent. Sauf un qui, après avoir hésité, saisit un gros caillou et le brandit. D'un geste, Jésus arrêta le bras dressé, menaçant, sur la femme.

« Ainsi, tu n'as jamais péché ?

— Si, maître, souvent. Mais voyez-vous, moi, je suis le mari. »

Voilà. Moi, je suis le mari. Premier critique parce que premier lecteur, j'ai éprouvé l'impérieuse tentation de jeter la pierre.

Ainsi, depuis des années, je partageais ma vie avec un ordinateur. Nos élans passaient sur les bandes perforées d'un ronronnant software, au rythme désespérément binaire.

J'ai appris en frissonnant que mon foyer était une entreprise appartenant au secteur des industries de transformation en même temps qu'aux activités tertiaires. J'ai regardé d'un œil neuf, soudain, le grille-pain et la machine à laver.

Je découvrais que notre système politique comportait un gouvernement collégial dans lequel mon fils Simon (cinq ans) avait comme chacun d'entre nous voix délibérative. Allais-je devoir monter une barricade dans le salon pour conquérir la faveur d'une pondération dans les votes ?

A moi la griserie du planning, les émotions du brain-storming, les charmes de la dynamique de groupe. Jusque-là, je m'étais bercé des illusions d'un vocabulaire inadapté à notre monde : le séminaire n'était pas une pépinière de curés, ni le symposium un bon gueuleton avec des copains.

Les tripes nouées, la gorge bloquée, la vie m'apparaissait promise à toutes ces choses terribles, inhumaines, dispensatrices d'angoisse, qui s'appellent la prévision systématique, la transformation de la décision rationnelle en action efficace, la recherche de l'information, les tests aveugles (ô combien), les interviews en profondeur, la sélection des fournisseurs, la classification des sources et surtout — je ne sais pourquoi,

mais cela m'a fait frémir — le panel de réfé-
rence.

O temps, suspends ton vol...

Ayant lu avec accablement la dernière page
du manuscrit, entrevoyant un avenir d'horreur,
je l'ai regardée, elle. Et je n'eus plus envie,
mais plus du tout, de lui jeter la pierre.

Son regard, ironique et tendre, me révélait
la vérité : je faisais, sous sa direction discrète,
du management comme M. Jourdain faisait de
la prose. Si j'avais accompli ma descente en
enfer sans m'en apercevoir, et même avec agré-
ment, à la réflexion, c'est sans doute qu'il n'y
avait pas d'enfer, ou qu'en tout cas il ne se
trouvait pas là.

Cette vie agréable, pleine de douceur et d'at-
trait, sur laquelle ont glissé sans bruit les mille
complications de chaque journée, effaçant les
aspérités qui irritent, qui engendrent les tor-
tures mentales, voire physiques, qui encom-
brent tant l'esprit qu'il ne reste plus de place
pour les sentiments, j'en avais trouvé l'expli-
cation dans ce traité américanomorphe.

J'ai entrevu pourquoi, elle et moi, nous trou-
vions le temps de nous parler, de rire, d'aimer.
Des rares instants si précieux de nos rencon-

tres, entre nos travaux accaparants, bien peu sont consacrés à des discussions sur les plans de table, les travaux scolaires, la Sécurité sociale, bref de l'organisation. La machine, la sienne, tourne bien, voilà.

J'ai repris le manuscrit, et j'ai compris que les recettes qu'il contient, au lieu de tuer la joie et la fantaisie, leur permettent de s'épanouir. Rien ne menace plus l'amour, la tendresse, cette satisfaction de se retrouver que le flot âcre de ces imprévus qu'il suffisait de prévoir et qui soudain submergent avec les réservations manquées, le tube vide de crème à raser, le lacet rompu, les deux dîners pris le même soir, les étrennes de la concierge.

Il ne m'a pas été nécessaire de relire tout le livre. Dès le début du chapitre II, j'ai trouvé la clef :

« Le manager est celui qui organise la manœuvre, qui, touchant de ses mains la réalité, se débrouille pour que ça marche, réussit en s'adaptant aux conditions changeantes. En remplaçant « celui » par « celle », n'a-t-on pas déjà une bonne définition de la maîtresse de maison ? »

Sans doute suffisait-il d'y penser. Mais penser, dans ce domaine, exige une méthode, voyez-vous, et pour tout dire une stratégie. Ainsi...

Allons, bon. Je m'y mettrais, moi aussi, au management familial ?

Je préfère oublier le manuscrit, continuer à me laisser entraîner dans le mouvement, à jouer les bourgeois gentilshommes du management, à apprendre en souplesse les règles du jeu de la société technologique.

C'est que moi, voyez-vous, je suis le mari.

JEAN FERNIOT.

BIBLIOGRAPHIE

La France et le Management, Roger Priouret. Ed. Denoël.

La Pratique de la direction des entreprises, Peter F. Drucker. Les Editions d'Organisation.

Le Pari européen, Louis Armand et Michel Drancourt. Ed. Fayard.

Pour une morale de l'entreprise, François Bloch-Lainé. Ed. du Seuil.

Le Secret des structures compétitives, Octave Gélinier. Ed. Hommes et Techniques.

Pour une doctrine de l'entreprise, Philippe de Woot. Ed. du Seuil.

Diriger, c'est vouloir, Martin Bower. Ed. Hachette.

Le Phénomène bureaucratique, Michel Crozier. Ed. du Seuil.

Le Défi américain, Jean-Jacques Servan-Schreiber. Ed. Denoël.

Cent Ans de retard, Pierre de Lannurien. Ed. Denoël.

Mes Années à la General Motors, A. Sloan. Ed. Hommes et Techniques.

For Executives only, the best thoughts of top management people. Ed. The Dartnelle Corporation.

Managing yourself, Milton Wright. McGraw-Hill Book Co.

Management Accounting, Robert N. Anthony. Ed. Irwin Inc.

Keeping young in business, Auren Uris, McGraw-Hill Book Co.

The Efficient Executive, Auren Uris, McGraw-Hill Book Co.

TABLE DES MATIERES

IMPRIMÉ EN FRANCE PAR BRODARD ET TAUPIN
6, place d'Alleray - Paris.
Usine de La Flèche, le 12-03-1971.
6900-5 - Dépôt légal n° 240, 1er trimestre 1971.
1er Dépôt : 1er trimestre 1971.
LE LIVRE DE POCHE - 22, avenue Pierre 1er de Serbie - Paris.
30 - 21 - 2823 - 02